普通高等教育"十一五"国家级规划教材

第二版

新编大学德语
Klick auf Deutsch

主　编　朱建华
副主编　陆　伸
编　者　李　媛　邵　勇　张鸿刚

1

学生用书
MP3版

外语教学与研究出版社
北京

图书在版编目(CIP)数据

新编大学德语学生用书. 1 / 朱建华主编;李媛等编. —2版. —北京:外语
教学与研究出版社,2010.6 (2010.11重印)
ISBN 978-7-5600-9715-2

Ⅰ. ①新… Ⅱ. ①朱… ②李… Ⅲ. ①德语-高等学校-教材 Ⅳ. ①H33

中国版本图书馆CIP数据核字(2010)第106612号

你有你"优"——点击你的外语学习方案
www.2u4u.com.cn
阅读、视听、测试、交流
购书享积分,积分换好书

出 版 人:于春迟
项目策划:王 芳 崔 岚
责任编辑:安宇光
责任校对:王 潇
装帧设计:孙莉明
插图设计:山文丰
出版发行:外语教学与研究出版社
社 址:北京市西三环北路19号 (100089)
网 址:http://www.fltrp.com
印 刷:北京方嘉彩色印刷有限责任公司
开 本:787×1092 1/16
印 张:16.25
版 次:2010年6月第2版 2010年11月第3次印刷
书 号:ISBN 978-7-5600-9715-2
定 价:37.00元 (附赠MP3光盘一张)
* * *
如有印刷、装订质量问题,请与出版社联系
联系电话:(010)61207896 电子信箱:zhijian@fltrp.com
制售盗版必究 举报查实奖励
版权保护办公室举报电话:(010)88817519
物料号:197150001

新编大学德语（第二版） 编委会

出版人：于春迟
项目策划：王 芳 崔 岚

主编：朱建华

第一册：
副主编：陆 伸 编者：李 媛 邵 勇 张鸿刚

第二册：
副主编：王 侬 编者：陶玉华

第三册：
副主编：尚祥华 编者：崔庆华

第四册：
副主编：王颖频 编者：郭屹炜

责任编辑：安宇光
责任校对：王 潇
版式/封面设计：孙莉明
插图：山文丰

特别致谢：Deutsches Kulturzentrum Peking-Goethe-Institut (China)
　　　　　北京德国文化中心·歌德学院（中国）

根据《大学德语教学大纲》（第二版）编写的《新编大学德语》（普通高等教育"十五"国家级规划教材）自2002年第一册问世以来，在全国许多高等学校得到广泛使用，赢得了许多德语教师的好评，受到众多德语学习者的欢迎。

八年来，在全球和中德两国都发生巨大变化的进程中，教材中自然会有许多内容相继过时。经过多年的使用，也积累了一些需要修订的问题。为了使本教材能发挥更好的教学作用，《新编大学德语》需要与时俱进。

两年多来，在全国高等学校大学外语教学指导委员会德语组的具体指导下，在德国歌德学院北京分院的大力支持下，经过对修订内容的多次集体研讨，《新编大学德语》第一册作了如下的修订：

1. 在保留第一版框架的基础上（共十个单元，每单元八个部分），对传授语音知识的重点进行了调整，对语音规则的表述和相关练习作了修改与补充。

2. 对全书主课文、听力原文和阅读课文的语言作了系统性的优化处理，使教材的语言更地道，更符合现代德语发展的趋势。文本内容也作了适当的变化，以使各单元内容更突出主题，更富有时代气息。

3. 对全书练习板块的链接网址作了更新，为学生开阔视野和自主学习提供了更大的空间。

4. 对个别交际意向板块的句型与惯用法作了修改。新增了交际意向flash动画的多媒体辅助教学内容，以培养学习兴趣和提高口语交际能力。

5. 个别单元的课文部分生词量和练习部分生词量作了调整，使练习部分生词量大大减少，以便学生在操练时能集中精力，不再有过多的生词负担。

6. 对时效性较强的单词、统计数字、事实等信息作了删除、增补与更新，以使学习者获得正确和有效的信息。

7. 个别语法知识点的分布与排列以及配套的练习在次序上作了调整，以使学生能更系统的学习某些语法知识。

8. 各单元的插图作了系统的更新与增补，使其起到更佳的辅助教学作用。

9. 在教材修订期间，《大学德语教学要求》词表也已制订完成，作者在教材付梓之前，以《大学德语教学要求》词表为依据，确定了课文的选词。对各单元词汇表和总词汇表都作了大学德语四级词汇"*"与六级词汇"#"的区别标注，以使学生有针对性地掌握大学德语四六级考试的分级词汇。

基于教学实践的教材编写与随后的教材使用，使我们看到了教材的不足之处。对教材各种评价与意见的收集，也推进了教材的修订工作。希望《新编大学德语（第二版）》能促进大学德语的教学与研究、能提高学生对德语学习的兴趣，使学习者更有效地掌握德语作为外语的各项技能。

《新编大学德语（第二版）》2006年列入教育部＂十一五规划教材＂。整个编写过程得到了外语教学与研究出版社、歌德学院北京分院和"同济大学教材出版基金"的大力支持。北京德国文化中心·歌德学院（中国）语言教学合作部主任Cordula Hunold博士对本教材第一册的书稿作了专业指导。值此脱稿付梓之际，我们对上述机构和个人的大力支持表示诚挚的感谢。并衷心感谢对《新编大学德语》第一册提出宝贵意见的专家、教师与读者！希望大家在使用《新编大学德语（第二版）》第一册的过程中指出书中存在的问题。我们期待您的宝贵意见！

外研社崔岚、安宇光等同志为本书作了精心的编辑、排版、插图和flash动画制作等工作。对她们为本书付出的辛勤劳动我们表示由衷的谢意。

编　者
2010年5月

　　《新编大学德语》是根据《大学德语教学大纲》（第二版）编写的。该教材以高等学校理、工、文、管等各科（非德语专业）初学德语的本科生为教学对象，同时也可以作德语语言培训基础教材使用。随着新世纪对我国大学外语教学提出的更高要求，本教材在新大纲各项规定及量化指标的基础上，更加突出了对学生实际语言应用能力，尤其是交际能力的培养。

　　《新编大学德语》共分四册，各册都有学生用书和教师用书。主课文、听力理解和各单元单词都配有磁带。每册十个单元，每个单元围绕一个主题开展听、说、读、写和译等基本功的训练，旨在培养学生的综合语言能力。因为语言技能的发展是不可分割、相辅相成的。在实际语言环境中，也要求语言技能的综合运用。相比之下，第一册、第二册较侧重听、说训练和口语交际活动，同时基本授完基础语法。第二册、第四册在继续加强听、说训练的基础上逐步加大阅读量，进一步提高阅读，写作和书面交际能力。

　　本教材除第一册语音部分外，每单元由引子、主课文、练习（课文练习在前，语法练习在后）、交际意向、听力、阅读、语法简述和单元词汇表八个部分组成。

　　第一册第一单元为语音部分，约需12学时授完。基础教程9个单元，每单元约需6学时。余下时间供复习考试之用。也可根据具体教学情况作出切合实际的安排。

　　为便于教学，对本教材第一册的主要特点作如下具体说明：

1. 本教材第一册在每单元围绕一个主题的原则下，选取了与学生校园和社会生活息息相关的最佳语言样本。课文取材新颖、题材丰富、体裁多样、内容实用并富有时代气息。

2. 对话形式是课文和练习的特点。为了使学生摆脱死记硬背的学习方法，尽可能在轻松愉悦中巩固提高语言的运用能力，尤其设计了结合语境、便于操练、篇幅短小的多种社会形式的交际型练习，以便让学生在一定的语境中通过反复操练自然地接受并运用所学的语言知识。在学习中交际，在交际中学习，从而提高学习效率。

3. 每一单元重点训练一种交际意向，旨在使学生掌握一定交际方式中的常用话语材料。

4. 语法现象自然渗透到各个主题中，并为各主题服务。语法练习注重趣味性、实用性和多样性。语法介绍表格化、简明扼要、便于查找，对学生的自学有指导性意义。

5. 各单元插图与照片都有教学用意，便于练习的开展。

6. 跨文化交际学和国情学给各单元的学习注入了生机与活力。使学生通过德语学习增加对德国文化的了解，有助于培养学生的跨文化交际能力。

7. 面向信息化时代的需要，各单元都设定了上网学习的可能性。提供网页和点击网址等练习机会可使学生扩大语言的应用面，以此来开阔学生的学习思路，使传统的语言教学和现代多媒体教学手段紧密结合起来。

　　《新编大学德语》2000年被教育部定为"新世纪高等学校教育教学改革工程"大学外语类重点项目，并得到"英语辅导报社"和"同济大学教材出版基金"的项目资助；2002年列入教育部"十五规划"教材。整个编写过程还得到了北京外语教学与研究出版社、德国歌德学院的大力支持。值此脱稿付梓之际，我们对上述机构的大力支持表示诚挚的感谢。

本教材第一册书稿在浙江大学、南京理工大学试用。2001年7月和2002年1月，高等学校大学外语教学指导委员会德语组分别在郑州信息工程大学和浙江大学对第一册书稿进行了初审和终审。参加审稿会的除本书编者外还有：张书良、赵仲、王侬、顾士渊、尚祥华、叶向平、吕学龄、洪启智、周正安、朱小安、王瑞芝、李立娅、姜爱红、来炯、陶玉华、王颖频、崔庆华、郭屹炜、刘志敏、王芳和Hans Simon-Pelanda。对他们提供的意见、建议和帮助，我们深致谢忱。

本教材在编写过程中，课文部分对有关原版作品的引用或改写已列出外，特此说明。谨此对有关作者致谢。

外研社王芳、张世慧等同志为本书作了精心的编辑、排版和插图工作。对她们为本书付出的辛勤劳动我们表示由衷的谢意。

欢迎广大师生使用本教材后提供宝贵意见。

编　者

2002年7月

本册中常用的德语缩写：

A	Akkusativ	第四格
Adj.	Adjektiv	形容词
Adv.	Adverb	副词
D.	Dativ	第三格
Einf.	Einführung	引子
etw.	etwas	某物，某事
EÜ	Übungen zur Einführung	引子练习
f.	Femininum	阴性
G	Genitiv	第二格
Gr	Grammatik	语法
GÜ	Übungen zur Grammatik	语法练习
HÜ	Übungen zum Hörverstehen	听力练习
HV	Hörverstehen	听力理解
Inf.	Infinitiv	动词不定式
Int.	Intention	交际意向
Inter.	Interjektion	感叹词
IÜ	Übungen zur Intention	交际意向练习
jd	jemand	某人（第一格）
jm	jemandem	某人（第三格）
jn	jemanden	某人（第四格）
js	jemands	某人（第二格）
Konj.	Konjunktion	连词
LÜ	Übungen zum Leseverstehen	阅读理解练习
LV	Leseverstehen	阅读理解
m.	Maskulinum	阳性
N.	Nominativ	第一格
n.	Neutrum	中性
Num.	Numerale	数词
o.Pl.	ohne Plural	无复数
Part	Partikel	小品词
P.I	Partizip I	第一分词
P.II	Partizip II	第二分词
Pp.	Personalpronom	人称代词
Pl.	Plural	复数
Poss.pron.	Possesivpronom	物主代词
Präp.	Präposition	介词
refl.	reflexiv	动词的反身用法
Sing.	Singular	单数
T.	Text	主课文
TÜ	Übungen zum Text	课文练习
V. refl.	reflexives Verb	反身动词

Inhaltverzeichnis

DAS DEUTSCHE ALPHABET

🎧 德语字母表
印刷体

30丫

大写	小写	字母读音	大写	小写	字母读音
A	a	[a:]	P	p	[pe:]
B	b	[be:]	Q	q	[ku:]
C	c	[tse:]	R	r	[ɛr]
D	d	[de:]	S	s	[ɛs]
E	e	[e:]	T	t	[te:]
F	f	[ɛf]	U	u	[u:]
G	g	[ge:]	V	v	[fao]
H	h	[ha:]	W	w	[ve:]
I	i	[i:]	X	x	[iks]
J	j	[jɔt]	Y	y	[ypsilɔn]
K	k	[ka:]	Z	z	[tsɛt]
L	l	[ɛl]	Ä	ä	[ɛ:]
M	m	[ɛm]	Ö	ö	[ø:]
N	n	[ɛn]	Ü	ü	[y:]
O	o	[o:]		ß	[ɛs-tsɛt]

## Teil 1

Schrift 文字

德文中最重要的字体是：

——拉丁字体（*lateinische Schrift*）：

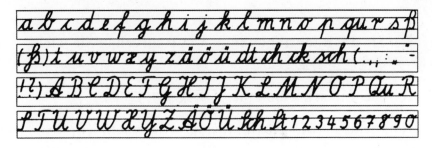

——草体（*Kurrentschrift*）：

——花体（Fraktur）：

草体和花体是所谓德文的手写体或印刷体，草体在 1935 年作为"德文手本"在学校中推广，但到了 1941 年就被拉丁文字体（"德文标准文字"）所取代，拉丁文字体的印刷体称为 Antiqua。

在学校中用于学习书写的所谓简体是以拉丁文字体为基础的：

——简体（*Vereinfachte Ausgangsschrift*）：

Übungen
练习

🎧 **Ü 1** **Hören Sie die Buchstabennamen und sprechen Sie nach.**
002 （听字母表录音并跟读。）

🎧 **Ü 2** **Hören Sie und schreiben Sie.**（听录音并选字母。）
003

🎧 **Ü 3** **Hören Sie das ABC-Lied und singen Sie nach.**（听字母歌并跟
004 着唱。）

Das Abc

A b c d e f g, h i j k l m n o p,
q r s t u v w, q r s t u v w,
x y – – z: Juchhe! Das ist hier das A b c.

🎧 **Ü 4** **Hören Sie noch ein Lied und singen Sie nach.**（再听一首歌并
005 跟着唱。）

Mein Hut, der hat drei Ecken

Mein Hut der hat drei E-cken, drei E-cken hat mein Hut,
und hat er nicht drei E-cken, dann ist es nicht mein Hut.

🎧 **Ü 5** **Lesen Sie die Abkürzungen und achten Sie auf den Akzent.**（朗
006 读下列缩写词并注意重音。）

BRD	USA	EU	CDU	SPD
PKW	LKW	VW	BMW	ICE
TU	FH	EDV	DFG	WG
DAAD	DSH	APS	WTO	DHL
ARD	ZDF	BASF	AG	GmbH

Ü 6　Buchstaben-Bingo（字母游戏）

游戏规则：在右边 9 个格子中任意填上 9 个不相重复的字母。然后听教师读，对听到的字母打叉。全部打叉后，喊 "Bingo"，即为游戏的胜利者。

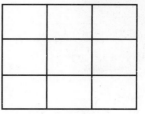

Teil 2

Vokale（元音字母）：	a e u i o
Konsonanten（辅音字母）：	p b t d k g m n s ß f w v

	字母	读音	例 词
 007	a	[a:]	da, ja, kam, Tat
	aa		Aas, Maat, Saat, **Waage**
	ah		Bahn, nah, nahm, sah
	a	[a]	dann, Mann, **Mappe**, wann
			an, am, ab, hat

Handwritten notes: balance; briefcase; 元音重叠：长元音; 元音+h：长元音; nein : no [nain]; alt ↔ neu/jung (young); 在词首发～之ω音; [a:]; 元音字母后有≥2个辅音字母即发短音; [P]词尾发[P]

[a:] – [a]	da – dann	Maat – matt	Tat – Takt	Bahn – Bann

008	e	[e:]	Café, den, wem, wen
	ee		Fee, **Kaffee**, See, Tee
	eh		gehen, sehen, weh,
	e	[e]/[ε]	denn, etwa, **Hemd**, nett
	e	[ə]	Ehe, Kette, Name, Tage

Handwritten notes: Coffee; name

[e:] – [ε]	den – denn	wen – wenn	gebe – Ebbe	nehme – nenne

009	u	[u:]	du, gut, Mut, nun, Wut
	uh		**Huhn**, Kuh, Kuhn, muh
	u	[u]	dumm, Hund, Kunde, **Mund**, Bus, um

Handwritten notes: you; hen 鸡; Hahn 公鸡 cock; 牛; 笨的; 狗; 顾客; 嘴 bus

[u:] – [u]	du – dumm	nun – Nuss	Kuhn – Kunde	Huhn – und

Handwritten note: and.

i	[i:]	Kino, Kiwi, Mine, Tina	*Cinema*
ie		die, nie, Sie, Miete	
ih		ihm, ihn, ihnen, Ihnen	
ieh		sieht, Vieh, ziehen	
i	[i]	Bitte, Kippe, Mitte, Wind, im, fit, mit	

[i:] – [i]   ihm – im,   Miete – Mitte,   bieten – bitten   Mine – Minne

o	[o:]	oben, Ofen, Foto, tot	*unter : down*
oo		Boot, doof, Moos, Zoo	
oh		Bohne, ohne, Sohn, wohnen	*Tochter : daughter*
o	[ɔ]	Bonn, Komma, oft, kommt, ob	

[o:] – [ɔ]   Ofen – offen   Ton – Tonne   Sohn – Sonne   Hof – hoffen

p	[p]	Papa, Pass, Post, Pumpe	*passport*
pp		Mappe, Puppe, Suppe, tippen,	*doll Soup type*
b		ab, gab, habt, ob, Obst	*fruit*
b	[b]	Bahn, Bitte, Bube, habe	

[p] – [b]   Post – Boss   Plus – bloß   taub – Taube   Pass – Bass

t	[t]	Gut, Not, Tat, hat	
tt		Bett, Bitte, fett, Gott, satt	*full*
th		Methode, Thema, These, Thomas	*theme*
dt		gesandt, gewandt, Waadt, Wundt	
d		Abend, Bad, Kind, Wind	
d	[d]	da, das, Dank, Ende, Kunde	*Hochzeit : Wedding*
dd		Bodding, Pudding, Wedding	

[t] – [d]   Bitte – Kunde, Ente – Ende   tun – dumm , Wind – Winde

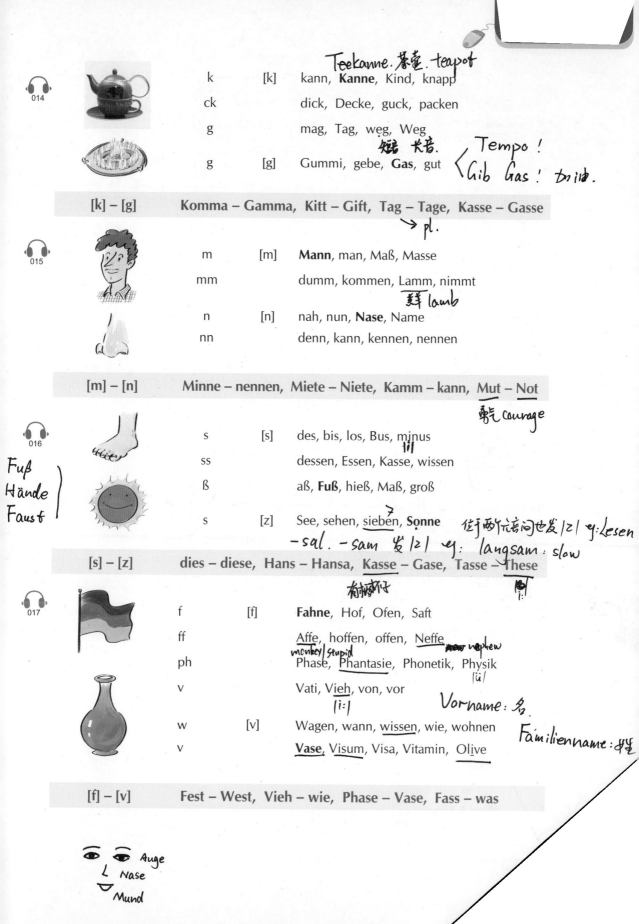

014

k	[k]	kann, **Kanne**, Kind, knapp
ck		dick, Decke, guck, packen
g		mag, Tag, weg, Weg
g	[g]	Gummi, gebe, **Gas**, gut

Teekanne. 茶壶. teapot

矮 长音. Tempo ! Gib Gas! 加油.

| [k] – [g] | **Komma – Gamma, Kitt – Gift, Tag – Tage, Kasse – Gasse** |

→ pl.

015

m	[m]	**Mann**, man, Maß, Masse
mm		dumm, kommen, Lamm, nimmt
n	[n]	nah, nun, **Nase**, Name
nn		denn, kann, kennen, nennen

羊 lamb

| [m] – [n] | **Minne – nennen, Miete – Niete, Kamm – kann, Mut – Not** |

勇气 courage

016

Fuß
Hände
Faust

s	[s]	des, bis, los, Bus, minus
ss		dessen, Essen, Kasse, wissen
ß		aß, **Fuß**, hieß, Maß, groß
s	[z]	See, sehen, sieben, **Sonne**

位于两[元音]问也发 /z/ ej: Lesen

-sal. -sam 发 /z/ ej: langsam: slow

| [s] – [z] | **dies – diese, Hans – Hansa, Kasse – Gase, Tasse – These** |

017

f	[f]	**Fahne**, Hof, Ofen, Saft
ff		Affe, hoffen, offen, Neffe
ph		Phase, Phantasie, Phonetik, Physik
v		Vati, Vieh, von, vor
w	[v]	Wagen, wann, wissen, wie, wohnen
v		**Vase**, Visum, Visa, Vitamin, Olive

monkey/stupid — nephew

[ü] [i:] [i:]

Vorname: 名.

Familienname: 姓.

| [f] – [v] | **Fest – West, Vieh – wie, Phase – Vase, Fass – was** |

Auge
Nase
Mund

1 **元音字母读长音:**

1) 当元音字母重叠时，该元音发长音。如：Waage，Tee，Boot。

2) 元音字母 ie 发长音 [i:]。如：die，Sie，wie。

3) 元音字母后有 h，h 一般不发音，该元音字母读长音。如：ihn，nah，ohne，Ehe。

4) 以元音结尾的音节，或该元音自成一个音节时，该元音字母发长音。如：Adam，haben，eben，oben。

5) 当元音字母后只有一个辅音字母时，该元音一般发长音。如：gut，Hof，Tag，wen。

2 **元音字母读短音:**

1) 元音字母后有两个或两个以上的辅音字母，该元音字母发短音。如：kommen，ist。但是也有一些例外情况发长音，如：hoch，Mädchen，Obst，Ostern。

2) 元音字母后只有一个辅音时，有时也发短音，如：das，ob，mit 等。

3 元音字母 e 在非重读音节时常弱读成 [ə]。如：Name，Waage，Gebiet。

4 辅音字母 b，d，g 在单词末尾或者其后紧跟辅音时，分别发成相应的清辅音。如：Dieb，Bad，Tag，habt，Magd，sagt。

5 辅音字母 s 在元音前发浊辅音 [z]，其他情况下发清辅音 [s]。ss 和 ß 发清辅音 [s]。如：sie，lesen，bist，essen，Fuß。

6 辅音字母 v 在德语单词中和在外来词词尾时发清辅音 [f]。如：von，Vieh，positiv。在外来词中元音前发浊辅音 [v]。如：Visa，Vase。

Sie? Kreuzen Sie an. （听录音并选择听到的单词。）

| Maß | ☑ bitten | ☐ Mut |
| Masse | ☐ bieten | ☑ Mund |

☑ wen   ☑ mieten   ☐ guck   ☑ Hase
☐ wenn   ☐ mitten   ☑ gut   ☐ hassen

019 ⊗ **Ü 2** **Hören Sie die Wörter und unterscheiden Sie die langen und kurzen Vokale.**（听录音并选择长短元音。）

lang: 长
kurz: 短.

1) [e:] oder [ɛ]

	1	2	3	4	5
[e:]	☒	☐	☒	☐	☒
[ɛ]	☐	☒	☐	☒	☐

2) [u:] oder [u]

	1	2	3	4	5
[u:]	☐	☒	☒	☐	☒
[u]	☒	☐	☐	☒	☐

3) [o:] oder [ɔ]

	1	2	3	4	5
[o:]	☒	☐	☐	☒	☐
[ɔ]	☐	☒	☒	☐	☒

020 **Ü 3** **Hören Sie und sprechen Sie nach.**（听录音并跟读。） *homework*

Miete – Niete	genoss – Genuss	Not – Naht
Kasten – Kosten	Affen – offen	Miene – Biene
Dame – Name	Gase – Nase	sehen – gehen
finde – Winde	binden – finden	Sie – See
Ende – Ente	Wind – Wand	Mond – Mund
Pass – Bass	Sonne – Sinne	gebe – Gabe
Dieb – Sieb	Kasse – Gasse	Mode – Note
gute Kunden	sieben Kisten	ohne Hoffnung
Guten Tag!	Wie geht es Ihnen?	Was essen Sie?
Das ist Anna.	Gabi ist fit.	Wo ist das Kind?

Ich bin in Mode
Du bist außer Mode
in Mode sein.
außer Moder sein

021 **Ü 4** **Sprechen Sie den folgenden Dialog nach.**（跟读下列对话。）

Ⓐ Guten Tag! Ich heiße Zhao Jianhua.
Ⓑ Guten Tag! Mein Name ist Sophie Lehmann.
Ⓐ Ich komme aus China. Und Sie?
Ⓑ Aus Deutschland.

Ü 5 Bilden Sie einen ähnlichen Dialog. （模仿情景练习对话。）

Teil 3

Vokale（元音字母）：	ei (ai ay) au eu (äu) ä ö ü (y)
Konsonanten（辅音字母）：	h j (y) l r z ts ds tz t(ion) x chs (c)ks ch

字母	读音	例　词
ei	[ai]	**Eis**, mein, Seite, Weise
ai		Mai, **Mais**, Saite, Waise
ay		Haym, Haydn, May, Nay

[ai] – [i:]	sei – sie, Seite – sieben, deine – Miete, Weise – Wiese

au	[ao]	auf, **Auge**, Auto, Bau, Bauten
		Faust, kaum, Maus, Pause

[au] – [ai]	Haus – heiß, kaum – Keim, aus – Eis, Maus – Mais

eu	[ɔy]	deuten, neu, **neun**, heute
äu		Bäume, häufen, Käufe, **Mäuse**

[au] – [ɔy]	Baum – Bäume, Kauf – Käufe, Maus – Mäuse, Raum – Räume

ä	[ɛ:]	Däne, gäbe, Häfen, **Käse**	
äh		Kähne, mähen, Nähe, Zähne	
ä	[ɛ]	hätte, **Hände**, Säfte, Wände	

Hand. *(pl.)*

[ɛ:] – [ɛ]	Säge – Säcke, Häfen – hätten, wähnen – Wände, gähnen – Gäste

prison

ö	[ø:]	Möwe, Ökonomie, schön, Töne	
öh		Böhmen, Höhe, **Höfe**, Söhne	
ö	[œ]	gönnen, können, könnte, öffnen	

schließen: close   open.

[ø:] – [œ]	böse – könne, Öfen – öffnen, fönen – könnte, Söhne – Göttin

Coolness.

ü	[y:]	Füße, **Hüte**, süß, üben	
üh		Bühne, Kühe, kühn, Mühe	
y		Typ, Synonym, Mythos	
ü	[Y]	dünn, **fünf**, Hütte, Sünde	
y		Gymnastik, System, Ägypten	

sweet — 9: Das Kind ist süß

9: Ich bin müde.

[y:] – [Y]	Füße – fünf, Bühne – Bünde, müde – Mücke, Hüte – Hütte

tired.

h	[h]	haben, Hafen, **Haus**, Hof, heißen	
j	[j]	ja, **Jacke**, jemand, Jugend, Juni	*June.*
y		Yoga, Yacht, Yeti, Yak, Yo-Yo	
l	[l]	alle, alt, Kaufleute, **Geld**, weil	

snowman   *Jacht*   *age* *businessman* *money*

[n] – [l]	nahm – langsam, Name – Lampe, neben – leben, Neid – Leid

life

r	[r]	drei, frei, reif, Reise, Ruf, rief	
		Fahrrad, rot, Rock, Regen, früh	
r	[ɐ]	Haar, Heer, für, wer, sehr	
(e)r		Mutter, **Schüler**, Tiger, **Wasser**	

rain *mother*

[r] – [l]	Regen – legen Raub – Laub Raten – laden reiten – leiten

030

z	[ts]	ganz, Herz, März, **zehn**, Zeit
	ts	bereits, hältst, nachts, nichts, Rätsel
	ds	abends, Deutschlands, Kids, Landsmann
	tz	**Katze**, Platz, Satz, sitzen, Witz
	t[ion]	Aktion, Intention, Nation, Produktion
	t	Aktie, Patient

Mein Herz! · *March* · *nothing*

[tsion]

| [ts] – [s] | kurz – Kurs, Katze – Kasse, Witze – Wissen, Potsdam – Postamt |
| [ts] – [z] | Zahl – Saal, Zoll – Soll, Ziele – Seele, zählen – Säle |

031

x	[ks]	Examen, Export, Fax, **Taxi**, Luxus
	chs	Fuchs, Sachsen, **sechs**, wächst
	(c)ks	Knicks, pieksen, tricksen, zwecks

[ksa]

| [ks] | Fuchspelz – Wechselkurs, Axt – Achse, fix – Fax, sechs – Taxis |

032

ch	[ç]	China, dich, euch, **Licht**, reich
	(-i)g	König, nötig, fleißig, richtig
ch	[x]	brauchen, **Buch**, hoch, Loch, nach
	[k]	Chaos, Charakter, Chlor, Christ

rich · *arm: poor* · *(pl.)* · *correct* · *falsch: wrong* · *Ich bin...*

| [x] – [ç] | Tuch – weich, Nacht – Nächte, Loch – leicht, Fach – Fächer |

读音规则

1 辅音字母 r 在元音前和短元音后读颤音 [r]。如：Rad，recht。在长元音后，非连续后缀 -er,-ern,-ert 等中以及在 ver-，er-，zer- 前缀中读 [ɐ]，如：Uhr，vier，Vater，ändern，verstehen。

2 辅音字母组合 ch 在元音 a，o，u，au 后读 [x]。如：lachen，noch，suchen，Bauch。在其他元音后发 [ç]。如：feucht，Licht，leicht。

3 -ig 在词尾读 [iç]，如：wichtig，richtig。-ig 后有元音 e 时，读 [ige]，如：richtige，ruhige。

Übungen
练习

Ü 1 **Was hören Sie? Kreuzen Sie an.** （听录音并选择听到的单词。）

033

- ☐ Augen
- ☑ auch
- ☐ Fäule
- ☑ Räume

- ☑ eigen
- ☐ ach
- ☑ Säule
- ☐ Bäume

- ☐ wählen
- ☑ Wörter
- ☑ Küche
- ☑ fühlen

- ☑ wellen
- ☐ Würde
- ☐ Köche
- ☐ füllen

Ü 2 **Hören Sie und kreuzen Sie an.** （听单词并选择单词中出现的音素。）

034

1) [ai], [au] oder [ɔy/ɔɪ]

	1	2	3	4	5
[ai]	☑	☐	☐	☒	☐
[au]	☐	☑	☐	☐	☒
[ɔy/ɔɪ]	☐	☐	☑	☐	☐

2) [r] oder [l]

	1	2	3	4	5
[r]	☒	☐	☒	☐	☐
[l]	☐	☒	☐	☒	☒

3) [l] oder [n]

	1	2	3	4	5
[l]	☐	☒	☒	☐	☒
[n]	☒	☐	☐	☒	☐

4) [ts], [z], oder [s]

	1	2	3	4	5
[ts]	☒	☐	☐	☐	☒
[z]	☒	☒	☒	☐	☐
[s]	☐	☐	☐	☒	☐

Ich wohne in osemecry auf dem Dorf. 住在农村

Ü3 **Hören Sie und sprechen Sie nach.** （听录音并跟读。）

Hafen – Häfen	Uhr – Tür *door* *öffnen die Tür 开门*	Ofen – Öfen
Vogel – Vögel	Dorf – Dörfer *country*	lesen – lösen *Zeitung lesen*
Sohn – Söhne	konnte – könnte	Buch – Bücher
Ton – Töne	für – Tür	Grund – Gründe *ir*
Frauen – freuen	loben – oben	treiben – trieben
Sonne – Söhne	Kinder – Finder	Fuß – Guss
Blut – Blüte	Bahn – Wahn	Frucht – Früchte
seit – Zeit	Teich – Teig *der große Teich* *Pond*	Brut – Blut
Krug – klug	Hand – Kant *大河滩*	klagen – Knaben
oft benutzte Sätze *often use Sentence*	Frau Baumann läuft ins Haus. *run in house*	*nach Haus 回家*

Ü4 **Sprechen Sie den folgenden Dialog nach.** （跟读下列对话。）

A Guten Morgen, Frau Müller.
B Guten Morgen, Herr Zhao.
A Wie geht es Ihnen?
B Danke, gut. Und Ihnen?
A Danke, auch gut. *also*

Ü5 **Bilden Sie einen ähnlichen Dialog.** （模仿情景练习对话。）

Teil 4

Konsonantenverbindungen（辅音字母组合）**: sch tsch st sp pf qu ng nk**
Wortakzent（词重音）
Intonation（语调）

字母	读音	例 词
sch	[ʃ]	Fleisch *meat*, schreiben *写*, schnell, **Tisch** – Stuhl
ch		**Champagner**, Chance, Chef *厨*
tsch	[tʃ]	Deutsch, Matsch, lutschen, rutschen

[ʃ] – [s]   **Busch – Bus   Tasche – Tasse   Menschen – Messe   Schall – Sandwich**
[ʃ] – [tʃ]   **waschen – quatschen   Wunsch – Rutsch   zwischen – zwitschern**

|Kv|

038

st	[ʃt]	Staat, Stadt, stets, Stoß Stück, Student, **Stuhl**, Stunde

[ʃt] – [st] **Student – Assistent Stunde – Kunst Straße – Fenster Stress – Lust**

039

sp	[ʃp]	spannen, Spaß, spät, Speise **Spiegel**, spinnen, Sport, Sprache sprechen, sprichst, springen, Sprüche

[ʃp] – [sp] **Sprache – Wespe spät – Aspekt Gespräch – Respekt**

040

pf	[pf]	**Apfel**, Empfang, Kopf, Pfanne Pferd, Pfund, pflegen, Pflicht

[pf] – [f] **Pferd – fährt Pfand – fand Apfel – Affe Kopf – Kauf**

[pf] – [p] **Pfosten – Posten Pfanne – Panne Kämpfe – Lampe Pfalz – Platz**

041

qu	[kv]	**Quelle**, quer, Qualität, Quantität Quittung, Quadrat, Quiz, Quatsch

[kw] – [k] **Quelle – Kelle, Quanten – Kanten, quer – kehr, Qual – kahl**

042

ng	[ŋ]	Anfang, Empfang, Sitzung, **Zeitung**
nk	[ŋk]	Bank, Dank, Geschenk, Getränk

[ŋ] – [ŋə] **jung – Junge, Ring – Ringe, eng – Enge, lang – Lunge**

[ŋ] – [ŋk] **lang – Bank Engels – Enkels singen – sinken Gesang – Gedanken**

读音规则

1. st-, sp- 在词首分别发 [ʃt], [ʃp]。如：stehen, spät，此时 t，p，为不爆破（不送气）发音。其他情况下，读 [st], [sp]，如：Nest, Wespe。

2. 辅音字母组合 ng 发 [ŋ]。如：lang, jung。如 ng 后跟字母
如：lange, Enge。

Übungen
练习

Ü 1 🎧 044 **Was hören Sie? Kreuzen Sie an.**（听录音并选择听到的单词。）

☐ Kirsche   ☒ seelig   ☐ Klinge   ☐ Befund
☒ Kirche   ☐ seelisch   ☒ Klinke   ☒ Pfund

☒ Deutsch   ☒ Apfel   ☒ singen   ☐ sollen
☐ Dolch   ☐ Abfall   ☐ sinken   ☒ Schollen

Ü 2 🎧 044 **Hören Sie und kreuzen Sie an.**（听单词并选择单词中出现的音素。）

1) [tʃ] oder [ʃ]

	1	2	3	4	5
[tʃ]	☒	☐	☐	☒	☐
[ʃ]	☐	☒	☒	☐	☒

2) [ʃ], [s] oder [ts]

	1	2	3	4	5
[ʃ]	☒	☐	☐	☐	☒
[s]	☐	☒	☐	☒	☐
[ts]	☐	☐	☒	☐	☐

3) [p], [pf] oder [f]

	1	2	3	4	5
[p]	☒	☐	☐	☐	☒
[pf]	☐	☒	☐	☒	☐
[f]	☐	☐	☒	☐	☐

Ü 3 🎧 045 **Hören Sie und sprechen Sie nach.**（听录音并跟读。）

Flug – Pflug	Fund – Pfund	waschen – wachen
Rausch – Rauch	Wange – Wanne	durch – Dusche
Kanten – Quanten	Kitt – quitt	sauer – Schauer
Sicht – Schicht	Blei – Brei	klauen – glauben
Kreide – Kleider	Schrank – schlank	Strauß – Stress
streiken – steigen	stören – strömen	Brötchen – Mädchen

Aussprache – Kugelschreiber Schriftsteller – Sprechstunde lange Erzählungen
enge Beziehungen geringe Änderungen singen und winken

Ü 4 Ein Phonetik-Spiel（语音游戏）

Beispiel:

„Ich rufe Herrn Mühler ... "

1) Hr. Mühler	9) Hr. Häbel	15) Fr. Schiefer
2) Fr. Mühler	10) Fr. Häbel	16) Hr. Schiefer
3) Fr. Müller	11) Fr. Dahler	17) Hr. Schiffer
4) Hr. Müller	12) Hr. Dahler	18) Fr. Schiffer
5) Fr. Hebel	13) Fr. Daller	19) Hr. Schehler
6) Hr. Hebel	14) Hr. Daller	20) Fr. Schehler
7) Hr. Hebbel		21) Fr. Scheller
8) Fr. Hebbel		22) Hr. Scheller

游戏规则
每位同学得到一张写着名字的牌子。第一位同学开始叫：Ich rufe ...，被叫的同学站起来，举起牌子，并叫下一个人的名字。

🎧 046 Ü 5 Sprechen Sie den folgenden Dialog nach.（跟读下列对话。）

Ⓐ Hallo, Annika!　　　　　　　　Ⓑ Hallo, Michael!
Ⓐ Na, wie geht's?　　　　　　　　Ⓑ Es geht. Und dir?
Ⓐ Gut. Sag mal, wer ist denn das?　Ⓑ Ah, das ist Frau Sophie Lehmann.
Ⓐ Ah, ist sie Lehrerin?　　　　　Ⓑ Ja, sie ist Lehrerin.
Ⓐ Woher kommt sie?　　　　　　Ⓑ Sie kommt aus Berlin.
Ⓐ Ich gehe zum Unterricht. Also tschüs!　Ⓑ Tschüs! Bis morgen!

😀 Ü 6 Bilden Sie einen ähnlichen Dialog.（模仿情景练习对话。）

🎧 047 Ü 7 Hören Sie und singen Sie nach.（听歌曲并跟着唱。）

Bruder Jakob

Bruder Jakob, Bruder Jakob,
Schläfst du noch? Schläfst du noch?
Hörst du nicht die Glocken?
Hörst du nicht die Glocken?
Bim! Bam! Bum!
Bim! Bam! Bum!

Wortakzent 词重音

1. 德语单词重音一般在第一个音节上。如：Mappe, haben, sagen。

2. 德语复合词重音一般也在第一个音节上。如：Tischtennis, Supermarkt。

3. 带有非重读前缀 be-, ge-, er-, ver-, zer-, ent-, emp- 等的单词，重音在第二个音节上。如：besuchen, gefallen, erklären, verstehen, zerbrechen, entschuldigen, empfehlen。

4. 许多外来词的重音在最后一个或倒数第二个音节上。如：Musik, Student, Universität, Intention, Kollege, reparieren, Optimismus。

5. 缩写词的重音在最后一个字母上，如：BRD, USA, EU。

Übungen 练习

Ü 1　**Hören Sie und ordnen Sie zu.**（听录音并按重音归类。）

Dialog, erklären, danken, kommen, Stunde, verstehen, Tomate, bekommen, Student, machen, Deutschlehrer, Institut, Klassenzimmer, Wiedersehen

Akzent auf der 1. Silbe （第一个音节重读）	Akzent auf der 2. Silbe （第二个音节重读）	Akzent auf der letzten/vorletzten Silbe （最后一个或倒数第二个音节重读）
machen Wiedersehen …	erklären …	Institut …
normale deutsche Wörter einschließlich Komposita （一般德语单词和复合词）	Wörter mit Präfix （带非重读前缀的单词）	viele Fremdwörter （许多外来词）

Ü 2　**Sprechen Sie die Wörter nach und markieren Sie den Akzent.**
（朗读下列单词并标出重音。）

..., der Besuch, der Beruf, der Morgen, erklären, gefallen,
...t, die Qualität, die Revision, der Sozialismus, das Beispiel,
...uch, die Bibliothek, die Hausfrau, probieren

Intonation
语调

德语语调主要分降调和升调:

1. 陈述句:Ich heiße Moritz Fischer. ↘
2. 带疑问词的疑问句:Wie heißen Sie? ↘
3. 命令句:Bitte lesen Sie! ↘
4. 不带疑问词的疑问:Kommen Sie aus Deutschland? ↗

Übungen
练习

Ü 1 **Hören Sie und sprechen Sie nach.** (听录音并跟着读。)

Dialog A

Ⓐ Entschuldigung, wie heißt du? Ⓑ Ich heiße Eva Müller.

Ⓐ Wie bitte? Ⓑ Eva Müller.

Ⓐ Ist Müller dein Vorname? Ⓑ Nein. Müller ist mein Familienname.

Dialog B

Ⓐ Kommt Oliver aus Griechenland? Ⓑ Nein, er kommt aus Deutschland.

Ⓐ Was studiert er hier? Ⓑ Er studiert hier Physik.

Begrüßen und sich verabschieden
问候与告别

051

Redemitte

- Guten Morgen!
- Guten Tag!
- Guten Abend!
- Gute Nacht!
- Morgen!
- Tag!
- Abend!

A: Wie geht es Ihnen?
B: Danke gut. Und Ihnen?
A: Auch gut.

A: Wie geht's?
B: Es geht. Und dir?
A: Gut.

- Auf Wiedersehen!
- Wiedersehen!
- Tschüs!
- Bis dann!
- Bis gleich!
- Bis morgen!
- Ciao!

IÜ 1   **Ergänzen Sie.**（填空。）

Dialog 1   Guten Morgen, Frau Schulz!

B *Guten Morgen*, Herr Schmidt!

A Wie geht es Ihnen?

B *Es geht*. Und Ihnen?

A *Auch gut*.

Dialog 2   **A** Tag, Leon!

B _____.

A Wie geht's?

B _____.

Dialog 3 **A** Auf Wiedersehen!

B _____.

A Tschüs! Bis dann!

B _____.

IÜ 2 **Bilden Sie ähnliche Dialoge.** （模仿情景练习对话。）

Vokabeln

动词转化过来的名词一般为中性。

Teil 2
052

*die	Waage -n *pl.*	天秤	Das ist eine Waage.
#die	Mappe -n	书包，纸夹	Das ist eine Mappe.
*der	Kaffee o.Pl.	咖啡	Trinken Sie Kaffee?
*das	Hemd -en	衬衫	Das Hemd ist aus China.
*das	Huhn ¨-er	鸡	Das Huhn ist groß. 高，大的
*der	Mund ¨-er	口，嘴	Mit dem Mund spricht man.
*das	Kino -s	电影院	Ich gehe ins Kino.
*das	Taxi -s	出租车	Da ist ein Taxi.
*der	Ofen ¨	炉子	Der Ofen ist alt.
*das	Boot -e	小船，小艇	Das ist ein Boot.
*der	Pass ¨-e	护照	Hier sind zwei Pässe.
*das	Obst o. Pl.	水果	Das Obst ist frisch.
*das	Bett -en	床	Das Bett ist breit.
*das	Kind -er	小孩	Das Kind ist glücklich.
*die	Kanne -n	壶	Ist das eine Teekanne?
*das	Gas -e	煤气，气体	Gib mehr Gas!
*der	Mann ¨-er	男人	Der Mann ist stark.

ohne Plural
没有

die

Luft Luftballon: balloon
Termin: appointment

*die	Nase -n		鼻子	Die Nase ist lang.
*der	Fuß ⸚e		脚，足	Ein Mensch hat zwei Füße.
*die	Sonne -n		太阳	Die Sonne steigt.
#die	Fahne -n		旗，旗帜	Die Fahne hat drei Farben.
*die	Vase -n		花瓶	Die Vase ist aus Porzellan.
*	gut	Adj.	好的	Mein Deutsch ist gut.
*der	Tag -e		白天	Guten Tag!
*	ich	Pron.	我	Ich heiße Zhao Jianhui.
*	heißen		名叫	Wie heißen Sie?
*	mein	Poss. Pron.	我的	Mein Name ist Sophie Lehmann.
*der	Name -n		名字	Wie ist Ihr Name?
*	sein (ist)		是	Ich bin aus China.
*	kommen		来	Woher kommen Sie?
*	aus		从……	Ich komme aus China.
*(das)	China		中国	China ist groß.
*	und		和，与	Sophie und ich lernen Deutsch.
*	Sie	Pron.	您，您们	Kommen Sie?
*(das)	Deutschland		德国	Er kommt aus Deutschland.

053 Teil 3

*das	Eis		冰淇淋	Das Kind mag Eis.
*der	Mais		玉米	Ich mag Mais.
*das	Auge -n		眼睛	Meine Augen sehen gut.
*die	Faust ⸚e		拳头	Er macht den Urlaub auf eigene Faust.
*die	Kauffrau -en		女商务人员	Sie ist Kauffrau.
*	neun	Num.	九	Es ist neun Uhr.
*die	Maus ⸚e		老鼠；鼠标	Die Mäuse sind süß.
*der	Käse o. Pl.		奶酪	Der Käse ist aus Deutschland.
*die	Hand ⸚e		手	Ein Mensch hat zwei Hände.
*der	Hof ⸚e		庭院，大院子，宫廷	Der Hof ist alt.
*der	Hut ⸚e		帽子，大盖帽	Der Hut ist schön.

*	fünf	Num.	五	Es ist fünf Uhr.
*das	Haus ̈-er		屋子，房子	Mein Haus ist schön.
*die	Jacke -n		夹克衫，上衣，外套	Die Jacke ist modern.
*das	Geld -er		钱，钞票	Geld ist immer gut.
*das	Fahrrad ̈-er		自行车	Das ist ein Fahrrad.
*das	Wasser o. Pl.		水	Das Wasser ist klar.
*der	Schüler (pl.) (die Schülerin -nen)		中小学生	Was macht der Schüler?
*	zehn	Num.	十	Fünf und fünf gleich zehn.
*die	Katze -n		猫	Die Katze ist süß.
*	sechs	Num.	六	Sechs ist eine Zahl.
*das	Licht -er		光，电灯	Das Licht brennt.
*das	Buch ̈-er		书	Das Buch ist neu.
*der	Morgen -		早晨	Guten Morgen!
*die	Frau -en		女士	Das ist Frau Lehmann.
*der	Herr -en		先生	Das ist Herr Lehmann.
*	wie	Adv.	如何，怎样	Wie geht´s?
*	es	Pron.	它	Wie geht es Ihnen?
*	gehen (geht)		走	Mir geht es gut.
*	Ihnen	Pron.	您（第三格）	Und Ihnen?
*	danken		感谢	Danke, auch gut.
*	auch	Adv.	也	Ich lerne auch Deutsch.

054 Teil 4

*der	Tisch -e		桌子	Gibt es hier einen Tisch?
der	Champagner o. Pl.		香槟酒	Trinkst du Champagner?
*der	Stuhl ̈-e		椅子	Das sind Tische und Stühle.
*der	Spiegel -		镜子	Der Spiegel ist modern.
*der	Apfel ̈		苹果	Hier sind viele Äpfel.
*die	Quelle -n		泉，源泉；出处	Wo ist die Quelle?
*die	Zeitung -en		报纸	Hier sind Zeitungen.
*	hallo	Int.	喂，你好	Hallo, Matthias!

*	dir	Pron.	你（第三格）	Wie geht´s dir?
*	sagen		说	Was sagen Sie?
*	mal	Adv.	次，一次	Sag mal, hast du etwas Zeit?
*	wer	Pron.	谁	Wer kommt aus China?
*	denn	Part.	究竟	Wer ist denn das?
*	das	Pron.	这	Das ist Herr Zhao.
*	was	Pron.	什么	Was ist sie?
*	sie	Pron.	她	Sie ist Lehrerin.
*der	Lehrer - (die Lehrerin -nen)		教师（女教师）	Er ist Lehrer.
*	woher	Adv.	从哪里	Woher kommen sie?
	Berlin		柏林（德国首都）	Ich komme aus Berlin.
*	zu	Präp.	到……去	Ich gehe zu Peter.
*der	Unterricht o. Pl.		课	Der Unterricht beginnt um acht.
*	also	Konj.	因此	Also tschüs!
*	tschüs	Int.	再见	
*	bis	Präp.	直至	Bis gleich!
*	morgen	Adv.	明天	Bis morgen!
*der	Vorname -n		名字	Das ist mein Vorname.
*der	Familienname -n		姓，姓名	Wie ist Ihr Familienname?
(das)	Griechenland		希腊	Griechenland ist ein altes Land.
*das	Wiedersehen o. Pl.		再见	Auf Wiedersehen!
*die	Physik		物理	Ich studiere Physik.

Intentionen

*	begrüßen		欢迎，向……问候	Frau Lu begrüßt die Studenten.
	verabschieden + A (sich)		告别，告辞	Dann verabschieden sie sich.

*der	Abend -e		傍晚，晚上； 晚会	Guten Abend!
*die	Nacht ⸚e		夜里	Gute Nacht!
*	dann	Adv.	然后，那么	Bis dann!
*	gleich	Adv.	马上，不一会儿	Bis gleich!

Einheit

2

KENNENLERNEN

Text:	A Im Deutschunterricht
	B In der Mensa
Intentionen:	Sich oder jemanden vorstellen
Hörverstehen:	Kennenlernen
Leseverstehen:	Brieffreunde
Grammatik:	I. Artikel und Substantiv im Nominativ
	II. Personalpronomen im Nominativ
	III. Konjugation der regelmäßigen Verben im Präsens
	IV. Konjugation von „sein" im Präsens
	V. Imperativ (1)
	VI. Satzarten und Wortstellung

EÜ 1 **Lesen Sie die Dialoge laut vor.** (大声朗读对话。)
EÜ 2 **Spielen Sie die Szenen nach.** (表演对话。)

056 A Im Deutschunterricht

Lehrerin:	Guten Tag! Ich heiße Karin Beckmann.
	Und wie ist Ihr Name bitte?
Studentin:	Mary Johnson.
Lehrerin:	Frau Johnson, woher kommen Sie?
5 Studentin:	Aus England, aus London.
Lehrerin:	Und wie heißen Sie?
Student:	Mein Name ist Wang Hongliang.
Lehrerin:	Wie bitte[1]? Sie sprechen zu schnell.
	Sprechen Sie bitte laut und langsam!
10 Student:	W-A-N-G, H-o-n-g-l-i-a-n-g.
Lehrerin:	Herr Hongliang, …
Student:	Entschuldigung, Hongliang ist mein Vorname und Wang
	ist mein Familienname.
Lehrerin:	Oh, entschuldigen Sie. Herr Wang, wie buchstabiert man
15	„Wang"?
Student:	W-a-n-g.
Lehrerin:	Schön. Jetzt öffnen Sie bitte die Bücher, auf
	Seite 4. Lesen Sie zuerst den Text 1 leise, und dann
	machen wir Übungen. Ich frage und Sie antworten.
20	…
	Gut, schließen Sie bitte die Bücher! Hören wir Text 2.

057 B In der Mensa

Brigitte Schulz:	Hallo, ist der Platz hier frei?
Wang Hongliang:	Ja, bitte.
Brigitte Schulz:	Danke. Seid ihr aus Japan?
Wang Hongliang:	Nein, wir kommen aus China, aus Beijing.
5 Brigitte Schulz:	Was macht ihr hier?

Sechs. Sieben. acht. neun.. zehn
null. eins. zwei. drei. vier. fünf.

Liu Ling:	Ich studiere hier Chemie.
Wang Hongliang:	Ich lerne jetzt zuerst Deutsch und dann studiere ich ... hm...wie heißt noch mal „computer science" auf Deutsch[2]?
10 Brigitte Schulz:	Informatik.
Liu Ling:	Was studierst du denn?
Brigitte Schulz:	Ich studiere Elektrotechnik.
Wang Hongliang:	Ach so. Wo wohnst du?
Brigitte Schulz:	Im Studentenwohnheim.
15 Liu Ling:	Wir auch. In Haus 3. Übrigens, mein Name ist Liu Ling und er heißt Wang Hongliang.
Brigitte Schulz:	Freut mich[3]. Ich heiße Brigitte.
Wang Hongliang:	Aha, Brigitte? Wie schreibt man das?
Brigitte Schulz:	B-r-i-g-i-t-t-e.

Wie heißt denn „Klicki" auf Chinesisch?

Hilfe zum Verstehen

1. Wie bitte? 您说什么？
2. auf Deutsch 用德语
3. Freut mich. 认识您 / 你我很高兴。

Übungen

TÜ 1 Text A: Was machen die Studenten? Nummerieren Sie.（按顺序排列。）

☐ Sie machen Übungen.

☐ Sie öffnen die Bücher.

☐ Sie hören Text 2.

☐1 Sie stellen sich vor.（介绍自己）

☐ Sie lesen Text 1.

☐ Sie schließen die Bücher.

⊗ **TÜ 2** **Text B: Steht das im Text? Kreuzen Sie an.**（根据课文 B 的内容判断正误。）

		Ja	Nein
1)	Liu Ling kommt aus Beijing.	●	●
2)	Wang Hongliang studiert Informatik.	●	●
3)	Liu Ling lernt Deutsch.	●	●
4)	Brigitte wohnt im Studentenwohnheim, in Haus 3.	●	●

TÜ 3 **Was passt zusammen?**（找出相应的回答。）

Beispiel: Ⓐ Wohnst du im Studentenwohnheim?

Ⓑ *Ja, in Haus eins.*

1) Kommst du aus Deutschland?

_____

2) Was studierst du denn?

_____

3) Ist der Platz hier frei?

_____

4) Wie ist Ihr Name bitte?

_____

5) Ist Wang Ihr Vorname?

_____

6) Wie buchstabiert man das?

_____

Nein, mein Familienname.

Ja, in Haus 1.

Elektrotechnik.

Nein, aus England.

Ja, bitte.

B-r-i-g-i-t-t-e.

Rita Kurz.

TÜ 4 *Ein Dialog zwichen zwei Studenten* **Ergänzen Sie.**（补充对话。）

Beispiel: **Brigitte:** Wo wohnst du?

Hongliang: *Im Studentenwohnheim, in Haus 3.*

A=Brigitte   B=Hongliang

1) Ⓐ Woher kommst du? Ⓑ _____.

2) Ⓐ _____? Ⓑ Nein, ich heiße Wang Hongliang.

3) Ⓐ Ist Hongliang dein Familienname? Ⓑ _____.

4) Ⓐ Was studierst du? Ⓑ _____.

5) Ⓐ _____? Ⓑ Ich lerne hier Deutsch.

6) Ⓐ _____? Ⓑ D-e-u-t-s-c-h.

TÜ 5 *Ein Dialog in der Mensa* Ergänzen Sie.（填空。）

> **A** Guten _____. Ist der Platz _____?

> **B** Ja, bitte.

> **A** Danke. Woher _____ du?

> **B** Aus _____.

> **A** Was _____ du hier?

> **B** Ich _____ hier Deutsch. Und du?

> **A** Ich studiere _____.

> **B** Ach so. Wo _____ du?

> **A** Im Studentenwohnheim.

TÜ 6 **Spielen Sie einen ähnlichen Dialog mit Ihrem Partner oder Ihrer Partnerin.**（与您的同伴表演一个类似的对话。）

GÜ 1 **Wer ist das? Ergänzen Sie.**（把句子补充完整。）

Beispiel: Das ist *ein* Lehrer. *Er* arbeitet in Berlin.

1) Das ist _____ Lehrerin.
   _____ kommt aus Hamburg.

2) Das ist _____ Studentin.
   _____ studiert Chemie.

3) Das ist _____ Student.
   _____ wohnt im Studentenwohnheim.

4) Das ist _____ Kind.
   _____ ist dick.

GÜ 2 Was machen sie? Ergänzen Sie.（把句子补充完整。）

Beispiel: <u>Der</u> Lehrer liest.

1) _____ Lehrerin singt.

2) _____ Studentin macht Übungen.

3) _____ Student hört Text 6.

4) _____ Kind spielt Fußball.

Bild — schön
Baum — dick
Kette — schön
Apfel — groß
Buch — gut
Kanne — schön
Tisch — groß

GÜ 3 *Mutter und Kind*（母亲与孩子）
Bilden Sie Dialoge.（编写对话。）

Beispiel: **A** Mami, was ist das?

B Das ist <u>ein Tisch</u>.

A Oh, <u>er</u> ist <u>groß</u>.

GÜ 4 „Sie" oder „du"? Ergänzen Sie.（补充对话。）

1) **A** Guten Tag. Ich heiße Schmidt. Und wie heißen _____?
   B Wang.
2) **A** Kommst _____ aus Deutschland, oder?
   B Ja, aus Bonn.
3) **A** Was machen _____ hier?
   B Ich lerne hier Deutsch.

4) **A** Hallo, ich bin Bettina. Und _____?

   B Hongliang.

5) **A** Was machst _____ hier? Studierst _____?

   B Ja, ich studiere Chemie.

6) **A** Arbeiten _____ hier?

   B Ja.

GÜ 5 *Kennenlernen und Vorstellen* **Ergänzen Sie.**（补充对话。）

Beispiel: **A** Woher kommst *du*?

   B *Ich* komme aus Shanghai.

1) **A** Arbeiten _____ hier ?

   B Nein, _____ bin Student.

2) **A** Wo wohnt _____?

   B _____ wohnen im Studentenwohnheim.

3) **A** Was machen _____ ?

   B _____ lernen hier Deutsch.

4) **A** Wie heißt _____?

   B _____ heißt Stefan.

5) **A** Studiert _____ auch Informatik?

   B Nein, _____ studiert Elektrotechnik.

6) **A** Heißt _____ auch Hans?

   B Nein, _____ heiße Thomas.

GÜ 6 Was passt zusammen?（连线组句。）

Er	heißt	das auf Deutsch?
Ich	studiert	im Studentenwohnheim?
Sprechen	komme	Informatik.
Wir	buchstabiert	aus Deutschland.
Wohnst	du	man das?
Was	Sie	bitte laut und langsam!
Wie	lernen	hier Deutsch.

GÜ 7 *Kennenlernen* Ergänzen Sie.（补充对话。）

1) **A** Wie *ist* (sein) ihr Name?
   B Sie _____ (heißen) Sauer.
   A _____ (sein) Sauer ihr Vorname?
   B Nein, ihr Familienname.

2) **A** Wo _____ (wohnen) du jetzt?
   B In Bonn.
   A _____ (studieren) du noch?
   B Nein, ich und _____ (arbeiten) in Köln.
   Und _____ (sein) jetzt Lehrerin.

3) **A** Wer _____ (sein) das?
   B Das _____ (sein) Tom und Harry.
   A _____ (kommen) sie aus Deutschland?
   B Nein, aus England.

4) **A** _____ (sein) ihr aus China?
   B/C Ja, aus Shanghai.
   A Was_____ (machen) ihr hier?
   B/C Wir _____ (lernen) hier Deutsch.
   A Wo _____ (wohnen) ihr denn?
   B/C Im Studentenwohnheim.

GÜ 8 Ich mache alles. Bilden Sie Dialoge.（编写对话。）

Beispiel: das auf Deutsch schreiben

> So brav bin ich nicht!

   A Schreiben Sie das bitte auf Deutsch!

   B Ja, mache ich.

1) Übung 4 machen
2) Dialoge schreiben
3) langsam sprechen
4) laut lesen

GÜ 9 Wir machen alles. Bilden Sie Dialoge.（编写对话。）

Beispiel: das auf Deutsch schreiben

A Schreiben wir das auf Deutsch!

B Ja, machen wir.

1) leise sprechen   2) die Bücher öffnen

3) Text 3 lesen   4) Übungen machen

GÜ 10 Was bedeutet das?（这是什么意思？）**Schreiben Sie.**（请写出来。）

Beispiel: *Lesen Sie!*

GÜ 11 Ordnen Sie zu. Achten Sie auf Unterschiede zwischen Chinesen und Deutschen.（哪句话与哪幅图相符？注意中国人和德国人在手势和表情上的区别。）

1) Sprechen Sie bitte langsam!   3) Sprechen Sie laut!

2) Kommen Sie her!   4) Seien Sie leise!

Soll ich kommen oder gehen?

A __   B __   C __   D __

GÜ 12 Lesen Sie Text A und B noch einmal. Unterstreichen Sie die Verben.（再读一遍课文 A 和 B，并将课文中的动词划出。）

Überlegen Sie:（请思考：）

Wo steht das Verb?（动词在句子的什么位置？）

Wie heißt die Regel?（规则是什么？）

🎧 Sich oder jemanden vorstellen
自我介绍或介绍别人

Redemittel

- Wie heißen Sie/heißt du?
- Wie ist Ihr/dein Name?
- Woher kommen Sie/kommst du?
- Was machen Sie/machst du?
- Wo wohnen Sie/wohnst du?

- Ich heiße/bin ...
- Mein Name ist ...
- Ich komme/bin aus ...
- Ich arbeite in ...
- Ich studiere/lerne ...
- Ich wohne in ...

- Das ist ...
- Er/Sie kommt aus ...
- Er/Sie arbeitet/wohnt in ...
- Er/Sie studiert/lernt ...

IÜ 1 **Stellen Sie sich in vier Sätzen vor.**（用四句话作自我介绍。）

Beispiel:

> Ich heiße ... (Mein Name ist ...).
> Ich komme / bin aus …
> Ich lerne / studiere…
> Ich wohne in…

IÜ 2 **Fragen Sie Ihren Nachbarn/Ihre Nachbarin und stellen Sie ihn/sie in vier Sätzen vor.**（用四句话介绍您的同桌。）

Beispiel:

> Das ist Frau / Herr ...

Frau / Herr ... kommt / ist aus ...

Sie / Er studiert / lernt ...

Sie / Er wohnt in …

Kennenlernen

059 **HÜ 1** **Hören Sie den Dialog einmal und antworten Sie. Welches Bild passt zum Dialog?**（听第一遍，看哪幅图的内容和对话相符？）

B

A

C

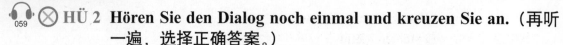

HÜ 2 Hören Sie den Dialog noch einmal und kreuzen Sie an. （再听一遍，选择正确答案。）

1) Woher kommt die Frau?

☐ A. Aus Hangzhou.　　☑ B. Aus Anhui.　　☐ C. Aus Deutschland.

2) Was macht die Frau?

☑ A. Sie lernt Deutsch.　　☐ B. Sie arbeitet.　　☐ C. Sie studiert.

3) Was macht der Mann?

☐ A. Er lernt Deutsch.　　☐ B. Er studiert.　　☑ C. Er arbeitet.

Leseverstehen

Brieffreunde

Hallo, ich bin **Paulo** aus Italien. Meine Hobbys sind Lesen und Fußballspielen. Ich lerne gerade Deutsch. Schreibt mir E-Mails auf Deutsch[1].

Ciao

Paulo Broseghini; Via Garizia 36; 27029 Vigevano (PV), Italien

E-Mail: paulo120@hotmail.com

11/01

Hallöchen!!! Ich heiße **Beata**. Ich studiere Wirtschaftswissenschaft an der Warschauer Universität in Polen. Ich suche Brieffreunde aus Deutschland. Ich höre gern Musik und chatte gern.

E-Mail: b02golowicz@wp.pl

11/01

Mein Name ist **Ingeborg Luge**. Ich wohne und arbeite in Deutschland. Ich bin Lehrerin und spreche Deutsch und Englisch. Ich freue mich auf E-Mails aus aller Welt[2].

20 Ingeborg Luge; Josef-Huber-Straße 24; 67071 Ludwigshafen, Deutschland
E-Mail: **ILuge@gmx.net**
11/01

Hallo, wir sind **zwei Studentinnen** aus München. Wir lernen gerade
25 Chinesisch und suchen gern Brieffreunde aus China.
Jutta Günther & Bettina Schmidt
E-Mail: **njubetka@freenet.de**
11/01

Hilfe zum Verstehen

1. Schreibt mir E-Mails auf Deutsch. 请你们给我用德语写电子邮件。
2. Ich freue mich auf E-Mails aus aller Welt. 我盼望着来自世界各地的电子邮件。

http://www.goethe.de

LÜ 1 *Infos aus dem Lesetext* **Tragen Sie ein.** （填表。）

Vorname	Familienname	Herkunft （来自于）	Beruf （职业）	Sonstiges （其他）
	Broseghini		/	Hobbys: Lesen und Fußballspielen
	/		Studentin	
		Ludwigs-hafen		
Jutta & Bettina				

LÜ 2 **Klicken Sie auf** *http://www.goethe.de* **oder** *http://www. deutsch-als-fremdsprache.de* (Suche: Brieffreundschaft)

Suchen Sie einen Brieffreund/eine Brieffreundin.（点击给出网址，在查找功能中键入关键词 Brieffreundschaft，为自己找一个笔友。）

LÜ 3 **Stellen Sie Ihren Brieffreund/Ihre Brieffreundin vor.**（介绍您的笔友。）

I. Artikel und Substantiv im Nominativ （冠词和名词的第一格）

数　　格	性	m（阳性）	f（阴性）	n（中性）
Sing.	N	der/ein Tisch	die/eine Frau	das/ein Haus
Pl.	N	die/- Tische	die/- Frauen	die/- Häuser

德语名词有阳、阴、中三种性属，单、复数两种形式和四个格的变化。德语名词的第一个字母一律大写。名词前一般都带有冠词。

1 der Artikel

冠词分为定冠词和不定冠词两类。

冠词	形式 (N)				功能
	m	f	n	Pl.	
定冠词	der	die	das	die	表示名词的性、数、格。 表达已知的、确定的人或事物。
不定冠词	ein	eine	ein	-	表示名词的性、数、格。 表达同类人或事物中任意一个或第一次提到的人或事物。

Beispiele: Das ist *ein Tisch*.

Die Lehrerin kommt.

2 **Das Substantiv im Nominativ**

名词的第一格是名词的基本形式，主要用作主语和属类补足语。

- 作主语：*Der Student* lernt Deutsch.
- 作属类补足语：Sie ist *Lehrerin*.

               Das ist *ein Buch*.

II. Personalpronomen im Nominativ（人称代词第一格）

数　　　　格　　人称	1.	2.	3.	尊称
Sing.　　N	ich	du	er/sie/es	Sie
Pl.　　N	wir	ihr	sie	Sie

Beispiele: Das Bild (Es) ist schön.

              Der Tisch (Er) ist groß.

III. Konjugation der regelmäßigen Verben im Präsens（规则动词的现在时变位）

规则：词干 + 现在时人称词尾

变位　不定式　　人称	machen	lernen	arbeiten	tanzen	
ich	mach**e**	lern**e**	arbeit**e**	tanz**e**	1) 动词词干以 **-t, -d, -ffn, -chn, -gn** 等结尾时，为便于发音，在人称词尾 **-st** 和 **-t** 前需加 **-e**。
du	mach**st**	lern**st**	arbeit**est**	tanz**t**	
er/sie/es	mach**t**	lern**t**	arbeit**et**	tanz**t**	2) 动词词干以 **-s, -ß, -ss,** 或 **-z, -tz** 结尾，单数第二人称 **du** 时，则省去人称词尾 **-st** 中的 **-s**。
wir	mach**en**	lern**en**	arbeit**en**	tanz**en**	
ihr	mach**t**	lern**t**	arbeit**et**	tanz**t**	
sie/Sie	mach**en**	lern**en**	arbeit**en**	tanz**en**	

现在时表示目前正在发生的行为，存在的状态或将要发生的情况。

Beispiele: Er studiert Physik.

              Sie wohnt in München.

              Wer kommt morgen?

IV. Konjugation von „sein" im Präsens（sein 的现在时变位）

人称代词 (Sing.)	变位形式	人称代词 (Pl.)	变位形式
ich	bin	wir	sind
du	bist	ihr	seid
er/sie/es	ist	sie	sind
Sie	sind	Sie	sind

V. Imperativ (1)（命令式（一））

1 针对尊称 **Sie** 的命令式：

a. | V. (Inf.) + Sie + ... ! |

Beispiele:

Antworten Sie!

Öffnen Sie bitte die Bücher!

动词 **sein**

b. | Seien + Sie + ... ! |

Seien Sie bitte leise!

2 针对 **wir** 的命令式：

| V. (Inf.) + wir + ... ! |

Machen wir jetzt Übungen!

Hören wir Text 3!

VI. Satzarten und Wortstellung（句子的种类和语序）

1 **Die Satzarten**（句子的种类）：按表达方式句子可分为叙述句、疑问句、祈使句和感叹句。

2 **Die Wortstellung**（语序）：可分为正语序和反语序两种。

语序	1	2	3	...	句子种类
正语序	主	谓	其他	...	
	Karin	kommt	aus Berlin.		• 叙述句
	Wer	lernt	Deutsch?		• 特殊疑问句（对主语提问）

续表

		其他	谓	主	其他	
反语序	A	Jetzt	machen	wir	Übungen.	• 叙述句
		Was	studierst	du	in Bonn?	• 特殊疑问句
		谓	主	其他		
反语序	B	Lernst	du	auch	Deutsch?	• 一般疑问句
		Sprechen	Sie/wir	bitte	langsam!	• 祈使句

Einführung

060

*das	Kennenlernen o. Pl.		结识	„Kennenlernen" ist das Thema (主题) in Einheit 2.
*	ihr	Pron.	你们，她的，他们的	Ich bin Anna. Und wie heißt ihr denn?
*	arbeiten		工作，学习，劳动	Wo arbeitest du denn?
*	hier	Adv.	这里	Was machst du hier?
*	in	Präp.	在……里面，到……里面；在……时候	Ich arbeite hier in China.
*	bitte	Adv.	请	Wie bitte?
*	sprechen (spricht)		说话，谈话	Sprechen Sie Deutsch?
*	zu	Adv.	太，非常	Der Lehrer spricht zu schnell.
*	schnell	Adj.	快的，迅速的	Sie geht schnell.
*	langsam	Adj.	慢的，缓慢的	Bitte sprechen Sie langsam.

061 **Text**

*(das)	Deutsch		德语	Wir lernen Deutsch.
*	Ihr	Pron.	您的	Wie ist Ihr Name bitte?
(das)	England		英国	Mary Johnson kommt aus England.
*	laut	Adj.	大声的	Sprechen Sie bitte laut und langsam!
*die	Entschuldigung -en		原谅	Entschuldigung!
*der	Vorname -n		名	„Hongliang" ist mein Vorname.
*der	Familienname -n		姓	„Wang" ist mein Familienname.
*	entschuldigen		原谅	Entschuldigen Sie bitte.
*	buchstabieren +A		拼出字母	Wie buchstabiert man „Wang"?
*	man	Pron.	人们	Wie buchstabiert man das Wort?
*	schön	Adj./ Adv.	行；好的；美丽的，美好的	Die Kette ist schön.
*	jetzt	Adv.	现在，目前	Jetzt öffnen Sie bitte die Bücher auf Seite 4.
*	öffnen +A		打开	
*	auf	Präp.	到……上面，以……方式	Der Text ist auf Seite 4.
*die	Seite -n		页，边	
*	lesen (+A)		阅读，读，朗读	Bitte lesen Sie.
*	zuerst	Adv.	先，首先	Zuerst liest die Lehrerin Text 1.
*der	Text -e		课文，文章，文本	Dann lesen wir Text 2.
*	eins	Num.	一	Einheit 1 ist Phonetik.
*	leise	Adj.	轻声的	Wang Hongliang liest zu leise.
*	machen +A		做，制作，干，从事	Karin macht alles.
*	wir	Pron.	我们	Wir sind aus China.
*die	Übung -en		练习	Sie machen Übungen.
*	fragen (+A)		问，打听	Der Lehrer fragt Wang Hongliang.

*	antworten (+D)		回答，答复，回信	Er antwortet schnell.
*	schließen		合，关，闭，锁	Die Studenten schließen die Bücher.
*	hören		听，听到	Wir hören zuerst Text 2.
*	zwei	Num.	二	Dann machen wir Übung 2.
*die	Mensa ...sen		学生食堂	Das ist die Mensa.
*der	Platz ⸚e		座位，地方，场所	„Ist der Platz hier frei?“
*	frei	Adj.	(座位)空着；自由的，空闲的	„Ja, bitte.“
*	ja	Adv.	是	Ja, ich komme aus China.
*(das)	Japan		日本	Kommst du aus Japan?
*	nein	Adv.	不，不是	Nein, ich komme aus China.
*	studieren		(在大学)学习，研究	Was studieren Sie?
*	noch	Adv.	还，此外还	Wie heißt das noch mal auf Deutsch?
*(die)	Chemie o. Pl.		化学	Ich studiere Chemie.
*	lernen		学习，学	Lernst du Deutsch?
*(die)	Informatik o. Pl.		计算机科学与技术	Wang Hongliang studiert Informatik.
*	du	Pron.	你	Was studierst du?
*(die)	Elektrotechnik o. Pl.		电子学	Ich studiere Elektrotechnik.
*	wo	Adv.	哪里，何处	Wo wohnt ihr?
*	wohnen		居住	Wir wohnen im Studentenwohnheim.
*das	Studenten-wohnheim -e		学生宿舍	Wohnst du auch im Studentenwohnheim?
*	drei	Num.	三	Wir wohnen in Haus 3.
*	übrigens	Adv.	此外，再说，顺带说	Übrigens, mein Name ist Liu Ling.
*	er	Pron.	他	Er heißt Thomas.
*	schreiben		写，写作，写信	Wie schreibt man das?

Vokabeln

Übungen
062

	Student -en (die Studentin, -nen)		大学生	Sind Sie Student?
*der				
*	spielen		玩，比赛	Was spielen wir jetzt?
*der	Fußball ⸚e		足球	Die Kinder spielen Fußball.
*	groß	Adj.	大的；高的	China ist groß.
*	oder	Konj.	或者，还是（两者选一）	Heißt du Brigitte oder Birgit?
*	alles	Pron.	所有，全部	Ich mache alles.
*der	Dialog, -e		对话	Lesen Sie die Dialoge laut vor.

Intentionen
063

*der	Satz ⸚e	句，句子	Ich spreche vier Sätze Deutsch.

Hörverstehen
063

*die	Musik	音乐	Die Musik ist schön, nicht?

Leseverstehen
063

	Brief -e		信，书信，信礼，函件	„Was ist denn das?" „Das sind Briefe aus Deutschland."
*der				
*der	Freund -e (die Freundin -nen)		朋友 （女朋友）	Thomas ist mein Freund.
*(das)	Italien		意大利（国名）	Paolo kommt aus Italien.
*das	Hobby -s		业余爱好	Meine Hobbys sind Lesen und Fußballspielen.
*	gerade	Adv.	恰好，刚好	Ich lerne gerade Deutsch.
*(die)	Wirtschaftswissenschaft -en		经济学	Ich studiere Wirtschaftswissenschaft.
*die	Universität -en		综合性大学	Beate studiert an der Warschauer Universität.
(das)	Polen		波兰（国名）	Sie wohnt in Polen.

*	suchen		寻找	Sie sucht Brieffreunde aus aller Welt.
*	gern	Adv.	乐意，喜欢	Ich höre gern Musik.
#	chatten /'tʃæ.../		聊天	Chattest du gern?
*(das)	Englisch		英文	Wir sprechen gut Englisch.
*die	Welt -en		世界，世间	Die Welt ist groß.
	München		慕尼黑（德国地名）	Beate und Jutta kommen aus München.
*das	Chinesisch		中文	Sie lernen gerade Chinesisch.

STUDENTENLEBEN

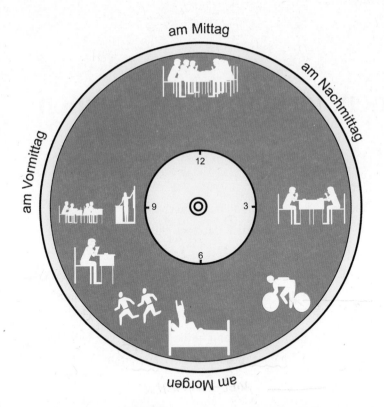

EÜ 1 **Wann macht Wang Hongliang was?**

Ordnen Sie die Aktivitäten den Tageszeiten zu.

（将每天各时间段的活动与各时间段对应起来。）

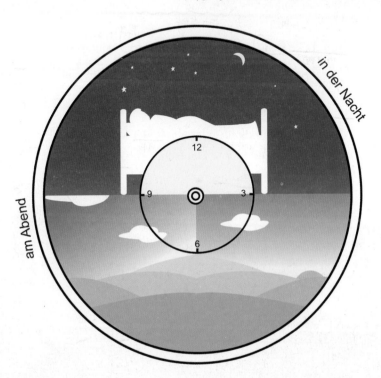

frühstücken

aufstehen

zu Mittag essen

Sport treiben

eine Vorlesung besuchen

nach Hause fahren

Kaffee trinken

ins Bett gehen

Text

Lernen, lernen, immer lernen

Petra:	Hallo, wie geht's?
Wang Hongliang:	Danke, gut. Und dir?
Petra:	Auch gut. Was machst du denn hier?
Wang Hongliang:	Ich habe Deutschunterricht. Jetzt machen wir gerade Pause.
5 Petra:	Hast du täglich Unterricht?
Wang Hongliang:	Ja, immer am Vormittag von acht bis Viertel vor zwölf.
Petra:	Um acht Uhr habt ihr schon Unterricht? So früh? Wann stehst du denn auf[1]?
Wang Hongliang:	Um Viertel nach sechs. Dann treibe ich Sport. Ich laufe ...
10 Petra:	So aktiv? Und nicht nur beim Sport[2], auch dein Deutsch ist jetzt viel besser[3].
Wang Hongliang:	Danke, ich lerne auch sehr viel. Die Lehrerin spricht im Unterricht nur Deutsch. Ich verstehe sie immer besser[3]. Wohin fährst du jetzt?
15 Petra:	Ich besuche eine Vorlesung, aber erst um halb zwölf.
Wang Hongliang:	Ach so, um halb zwölf. Um wie viel Uhr isst du dann zu Mittag?
Petra:	Ich frühstücke meistens gut und esse nicht zu Mittag. Sag mal[4], hast du heute Abend Zeit? Thomas gibt eine Party.
20 Wang Hongliang:	Thomas?
Petra:	Kennst du ihn nicht? Er ist neu hier.
Wang Hongliang:	Nein, ich kenne ihn nicht. Ich habe leider keine Zeit. Ich fahre nach Hause und lerne Deutsch. Am Donnerstag schreiben wir eine Prüfung.

25	Petra:	Und dann? Hast du am Freitag Zeit? Trinken wir zusammen Kaffee!
	Wang Hongliang:	Nein, das geht auch nicht. Am Freitag gibt es[5] immer Hausaufgaben.
	Petra:	Lernen, lernen, immer lernen. Du hast nie Zeit für das
30		Leben und für die Freunde. Du liest und liest. Schläfst du eigentlich noch? Isst du eigentlich noch?
	Wang Hongliang:	Oh, wie spät ist es jetzt? Was? Schon fünf vor elf? Der Unterricht beginnt.

am = an + dem
im = in + dem

Morgenstunde hat Gold im Munde.

Hilfe zum Verstehen

1. Wann stehst du denn auf? 那你什么时候起床？
2. beim Sport 在体育方面
3. besser 为 gut 的比较级，更好。
   viel besser 好许多
   immer besser 越来越好
4. Sag mal, ... 你说……
5. Es gibt + A 有

Übungen

TÜ 1 *Studentenleben* Antworten Sie.（回答问题。）

1) Was macht Wang Hongliang?
2) Wann steht er auf ?
3) Wann hat er Deutschunterricht?
4) Was macht Petra?

5) Isst Petra zu Mittag? Warum (nicht)?

6) Hat Wang Hongliang heute Zeit? Warum (nicht)?

7) Hat er am Freitag Zeit? Warum (nicht)?

⊗ **TÜ 2 Welche Antwort ist falsch? Kreuzen Sie an.**（在错误的答案前打叉。）

1) Wie geht's?
- ☐ A. Danke, gut.
- ☐ B. Gut, und dir?
- ☐ C. Ich gehe nach Hause.

2) Was machst du denn hier?
- ☐ A. Ich lerne Deutsch.
- ☐ B. Jetzt mache ich Pause.
- ☐ C. Morgen schreiben wir eine Prüfung.

3) Dein Deutsch ist jetzt viel besser!
- ☐ A. Nein, nicht gut.
- ☐ B. Na ja, es geht.
- ☐ C. Danke.

4) Wohin fährst du?
- ☐ A. Ich habe eine Vorlesung.
- ☐ B. Jetzt machen wir Pause.
- ☐ C. Ich fahre nach Hause.

5) Wie spät ist es jetzt?
- ☐ A. Es ist fünf vor neun.
- ☐ B. Es ist zwangzig Uhr fünfundfünfzig.
- ☐ C. Zwei Uhren.

TÜ 3 Was passt zusammen?（连线。）

1) *nach Hause*	a) besuchen
2) zu Mittag	b) *fahren*
3) Zeit	c) schreiben
4) Sport	d) haben
5) eine Vorlesung	e) trinken
6) Kaffee	f) essen
7) eine Prüfung	g) treiben

TÜ 4 *Ein Tag von Wang Hongliang*
Ergänzen Sie und bilden Sie Sätze.（填空并造句。）

Montag			
6.15	aufstehen	12.00	zu _____ essen
6.30	_____ treiben	14.15 bis 15.45	eine _____ besuchen
7.20	frühstücken	16.30	nach Hause _____
8.00 bis 11.45	_____ haben	23.30	ins Bett gehen

Beispiel: Wang Hongliang steht um Viertel nach sechs auf.

TÜ 5 Beschreiben Sie Ihren Tagesablauf in sechs bis acht Sätzen.
（用六到八句话描述您的一天。）

GÜ 1 Zählen Sie.（数数。）

Und welche Handzeichen macht man in China? Zeigen und sprechen Sie.

（中国人如何用手势表达数字？请演示。）

zwei oder acht Bier?

GÜ 2 Schreiben Sie.（写数。）

1) 89: _____
2) 138: _____
3) 927: _____
4) _____ : vierhundert
5) 3861: _____

6) _____ : sechsundsiebzig
7) 305: _____
8) _____ : siebenhundertzweiundachtzig
9) 2054: _____
10) _____ : sechshundertvierundfünfzig

GÜ 3 Machen Sie eine Telefonliste für Ihre Klasse.（做一个班级电话表。）

A Wie ist deine Telefonnummer?

B 54 31 16. (fünf-vier drei-eins eins-sechs)
oder: vierundfünfzig einunddreißig sechzehn)

C 8 65 98 (acht sechs-fünf neun-acht
oder: acht fünfundsechzig achtundneunzig)

D 135 86724918 (eins drei fünf acht sechs sieben zwo① vier neun eins acht
oder: eins drei fünf sechsundachtzig zweiundsiebzig neunundvierzig achtzehn)
① 在读电话号码时，2 读 zwo，以便与 3 drei 区别开来。

GÜ 4 Verbenspiel. Ergänzen Sie.（补充对话。）

1) schlafen

Ⓐ Wie viele Stunden _____ du täglich?

Ⓑ Acht Stunden.

2) essen

Ⓐ Wann _____ du zu Mittag?

Ⓑ Ich frühstücke meistens gut und _____ nicht zu Mittag.

3) sprechen

Ⓐ _____ du Deutsch?

Ⓑ Ja.

Ⓐ Und deine Frau?

Ⓑ Sie _____ auch Deutsch, aber nicht sehr gut.

4) fahren

Ⓐ Ich _____ morgen nach München. Wann _____ ihr?

Ⓑ Hans _____ heute Nachmittag und ich erst morgen.

5) haben

Ⓐ _____ du heute Deutschunterricht?

Ⓑ Ja, von acht bis halb zwölf.

Ⓐ Und wann _____ ihr Pause?

Ⓑ Um Viertel vor zehn.

GÜ 5 Was passt zusammen?（连线组句。）

Ich	haben	auch nach Berlin?
Thomas	bin	noch zu Mittag?
Ihr	Gabi	Studentin.
Von wann bis wann	liest	am Freitag Deutschunterricht.
Wir	sprecht	du denn?
Isst	schläfst	schon gut Deutsch.
Fahren	Sie	den Text zu leise.

GÜ 6 *In der Küche des Studentenwohnheims*（在学生宿舍的厨房里）
     Ergänzen Sie.（补充句子。）

Ⓐ Hallo!

Ⓑ Hallo! _____ du neu hier?

Ⓐ Ja.

Ⓑ Woher _____ du?

Ⓐ Aus China, und du?

Ⓑ Aus Bonn. Was _____ du hier?

Ⓐ Chemie. Aber im Moment _____ ich Deutsch.

sprechen
sein
kommen
kennen
studieren
essen
lernen

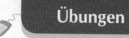

B Du _____ aber schon gut Deutsch. Sag mal,
kochst (烧) du da Tofu?

A Ja. _____ du das auch?

B Natürlich. Das _____ ich zu Hause oft.

GÜ 7 Klaus hat alles. Ergänzen Sie.（补充句子。）

Klaus hat _ein_ Auto, _____ Haus, _____ Boot, _____ Baum, _____
Frau, _____ Kind und _____ Katze.

GÜ 8 Stefan versteht heute nichts. Ergänzen Sie.（补充句子。）

Stefan versteht heute im Unterricht den Dialog nicht, _____ Text nicht,
_____ Übung nicht. Auch _____ Lehrerin und _____ Studenten nicht.

GÜ 9 Wer hat Besuch? Bilden Sie Dialoge.（编写对话。）

Beispiel: Frau Schmidt

   A Kennst du _Frau Schmidt_?

   B Ja, kenne ich. Warum?

   A Ich besuche _sie_ heute Nachmittag.

Frau Schmidt
Herr Lorenz
Petra
der Deutschlehrer
Hans
die Chemielehrerin
Frau Beckmann

GÜ 10 Was suchst du? Bilden Sie Dialoge.（编写对话。）

Beispiel: die Mensa

   A Kennst du _die Mensa_?

   B Ja, kenne ich. Warum?

   A Ich suche _sie_.

die Post
die Universität
der Börnerplatz
das Studentenwohnheim
das Goethe-Haus
die Mensa

GÜ 11 Ergänzen Sie, wenn nötig.（在必要处填空。）

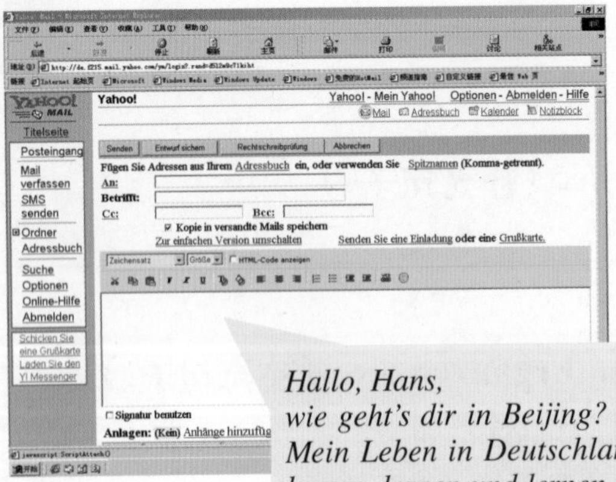

Hallo, Hans,

wie geht's dir in Beijing? Heute du endlich_________ Mail von mir[①]. Mein Leben in Deutschland ist eigentlich nicht so interessant. Immer lernen, lernen und lernen. Immer am Vormittag von acht bis Viertel vor zwölf haben wir _________ Deutschunterricht. Der Lehrer kommt aus Berlin. _________ spricht nur Deutsch und ich verstehe _________ nicht immer. Ich habe auch _________ Freundin. Sie heißt Petra. Sie fragt _________ oft :

„Wann hast du Zeit?“ Sie besucht _________ gern. Aber ich schreibe am Donnerstag _________ Prüfung und am Freitag gibt es immer _________ Hausaufgaben. Ich habe also keine Zeit für_________.

Nur eins ist interessant: _________ Haus. Hier scanne ich _________ Foto ein[②]. Siehst[③] du _________? Ist _________ nicht schön? Da wohne ich.

Bis bald.

Tschüs
dein Hongliang

① 我发出的……　② ein/scannen 扫描　③ 看，看见

065

Intentionen

Zeit erfragen und angeben
询问时间与说明时间

Es ist 8 Uhr 5
Es ist 5 nach 8

8 Uhr 25
5 vor halb 9

8 Uhr 30
halb 9

8 Uhr 45
Viertel vor 9

8 Uhr 55
5 vor 9

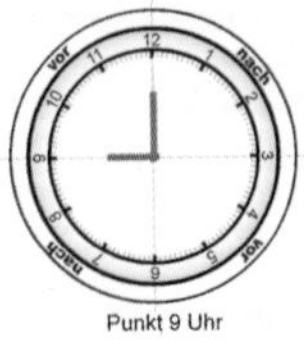
Punkt 9 Uhr

Redemittel

- Wie viel Uhr ist es jetzt?
- Wie spät ist es?
- Um wie viel Uhr (Wann) ...?
- Von wann bis wann ...?

- Es ist (jetzt) ... (Uhr).
- Es ist ... vor/nach ...
- Es ist halb ...
- Um ...
- Von ... bis ...

Beispiele: **A** Wie viel Uhr ist es jetzt?

B Es ist zehn nach acht.

A Um wie viel Uhr beginnt der Unterricht?

B Um halb neun.

A Von wann bis wann hast du Unterricht?

B Von halb neun bis Viertel vor zwölf.

IÜ 1 **Fragen Sie Ihren Nachbarn und tragen Sie ein.**（询问您的邻座并填表。）

Beispiel:

Um wie viel Uhr stehst du auf?

Um halb sieben.

aufstehen	frühstü-cken	zur Uni-versität fahren	Deutsch-unterricht haben	zu Mittag essen	zu Abend essen	ins Bett gehen
○	○	○	○	○	○	○

IÜ 2 *Reiseauskunft* **Bilden Sie Dialoge.**（编写对话。）

Beispiel: **A** Um wie viel Uhr fährt der Zug von Berlin ab?

B Um *neun Uhr zweiundfünfzig*.

A Und wann bin ich dann in München?

B Um *fünfzehn Uhr dreiundvierzig*.

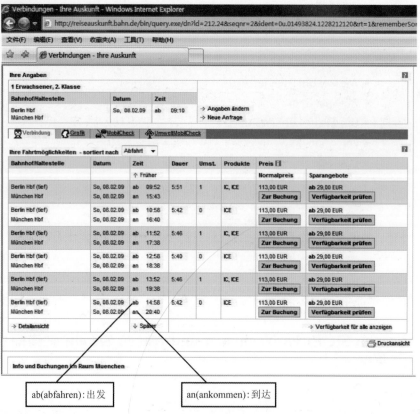

(www.reiseauskunft.bahn.de)

Hörverstehen

Text 1 Neun Zahlen

 HÜ 1 **Hören Sie den Text zweimal und ergänzen Sie.**（听两遍，填数字。）

Wang Hongliang ist ___23___ Jahre alt. Er wohnt in Haus ___6___. Er lernt jetzt immer am Vormittag ___5___ Stunden Deutsch. Sein Klassenzimmer（教室）hat _13.30_ Tische und ___26___ Stühle. Hier lernen _14_ Studentinnen und ___12___ Studenten Deutsch. Davon（其中）kommen

___7___ aus China. Sie sind zusammen

_158_ Jahre alt.

Text 2 Wann studierst du eigentlich?

HÜ 2 **Hören Sie den Dialog einmal.**（听一遍。）
067

    1) Was ist die Hauptinformation (主要信息)? Kreuzen Sie an.

      ☐ A. Wang Hongliang hat am Donnerstag eine Prüfung.

      ☐ B. Julia gibt morgen Abend eine Party.

      ☐ C. Peter hat keine Zeit für Wang Hongliang.

      ☐ D. Thomas kommt und besucht Peter.

HÜ 3 **Hören Sie den Dialog noch einmal und tragen Sie ein.**（再听
067 **一遍，并填表。）**

9 Montag Juli	**10** Dienstag Juli	**11** Mittwoch Juli
7	7	7
8 *Musik*	8	8 *Sport*
9 *hören*	9	9 *treiben*
10	10	10
11	11	11
12	12	12
13	13	13
14	14	14
15	15	15
16	16	16
17	17	17
JULI	18	18
28. Woche 190.–196. Tag	19	19
	20	20

Hochschulen und Studenten

In Deutschland gibt es 410 Hochschulen. Sie umfassen（包括）105 Universitäten, Technische Universitäten (TU) und Technische Hochschulen (TH)[1], 51 Kunsthochschulen, 232 Fachhochschulen, 6 Pädagogische Hochschulen und 16 Theologische Hochschulen. Die älteste[2] Universität

5　ist die Universität Heidelberg. Sie ist schon mehr als[3] 600 Jahre alt.

Insgesamt haben die Hochschulen heute 2 119 485 Studenten. Davon sind 1 013 970 Frauen und 244 229 Ausländer. Es gibt etwa 25 479 Studenten aus China. Deutsche Studenten studieren auch im Ausland. Es sind zurzeit[4] 90 300, davon aber nur 1 280 in China.

(Stand 2010

Quellen: Zahlen der Studenten aus China:

http://www.wissenschaft-weltoffen. de/daten/1/6/8

Andere Zahlen: http://www.destatis.de)

Hilfe zum Verstehen

1. Technische Hochschule 理工大学

　 Technische Universität 侧重理工的综合性大学

　 Pädagogische Hochschule 师范大学

　 Theologische Hochschule 神学院

2. älteste 最古老的

3. mehr als 比……多

4. zurzeit 目前

LÜ 1 Ergänzen Sie die Zahlen. （将数字填入下图。）

Klicken Sie auf *http://www.destatis.de* (Homepage vom statistischen Bundesamt Deutschland), auf: Themen → weitere Themen → Bildung, Forschung, Kultur → Hochschulen und aktualisieren Sie die Tabelle.

（点击德国联邦统计局主页 *http://www.destatis.de*，按照给出路径寻找并更新表中数据）

	2010 (im Text)	?
Universitäten		
Pädagogische Hochschulen		
Kunsthochschulen		
Studenten insgesamt		
Studentinnen		

LÜ 2 Ergänzen Sie die Zahlen. （将数字填入下图。）

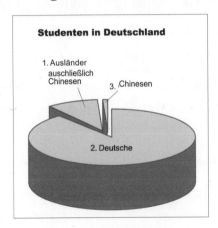

1 _____
2 _____
3 _____

⊗ LÜ 3 Steht das im Text? Kreuzen Sie an. （判断该句是否在文中出现。）

		Ja	Nein
1)	In Deutschland gibt es 410 Universitäten.	●	●
2)	Alle Hochschulen sind in Deutschland alt.	●	●
3)	Die älteste Universität ist die Universität Heidelberg.	●	●
4)	244 229 Studenten kommen aus China.	●	●
5)	Nur 1 280 deutsche Studenten studieren im Ausland.	●	●

LÜ 4 Wie ist das in China? Schreiben Sie einen Paralleltext. （写一篇类似的短文介绍中国的大学和学生情况。）

I. Konjugation der unregelmäßigen Verben im Präsens（不规则动词的现在时变位）

规则：词干（部分动词须换音或变音）+ 现在时人称词尾

变位　式　人称	geben (e→i)	lesen (e→ie)	fahren (a→ä)	laufen (au→äu)	essen	变位　式　人称	haben
ich	gebe	lese	fahre	laufe	esse	ich	habe
du	gibst	liest	fährst	läufst	isst	du	hast
er/sie/es	gibt	liest	fährt	läuft	isst	er/sie/es	hat
wir	geben	lesen	fahren	laufen	essen	wir	haben
ihr	gebt	lest	fahrt	lauft	esst	ihr	habt
sie/Sie	geben	lesen	fahren	laufen	essen	sie/Sie	haben

Beispiele: 1. Herr Wang liest ein Buch.

2. Monika fährt morgen nach München.

II. Artikel und Substantiv im Akkusativ（冠词和名词的第四格）

变位　式　人称		m	f	n	疑问代词的变格		
Sing.	N	der/ein Tisch	die/eine Frau	das/ein Haus	格		颖问代词
	A	den/einen Tisch	die/eine Frau	das/ein Haus	N	wer	was
Pl.	N	die/-Tische	die/-Frauen	die/-Häuser	A	wen	was
	A	die/-Tische	die/-Frauen	die/-Häuser			

注：阳性弱变化名词变格加词尾 -n 或 -en。如：der /ein Student → den / einen Studenten.
名词的第四格主要用作第四格宾语。

Beispiele: **A** Wen fragt Hans?　　**B** Den Lehrer.

A Was macht Hans?　　**B** Er liest ein Buch.

III. Personalpronomen im Akkusativ （人称代词的第四格）

数 \ 格 \ 人称		1.	2.	3.			尊称
Sing.	N	ich	du	er	sie	es	Sie
	A	**mich**	**dich**	**ihn**	**sie**	**es**	**Sie**
Pl.	N	wir	ihr		sie		Sie
	A	**uns**	**euch**		**sie**		**Sie**

Beispiele: Der Lehrer kommt. Wir fragen ihn.

Meine Mutter wohnt in Berlin. Morgen besuche ich sie.

Das Buch ist sehr gut. Ich kaufe es.

IV. Grundzahlen （基数词）

0—12		13—19	20,30,...,90	21—99
0-null		13-dreizehn	20-zwanzig*	21-einundzwanzig
1-eins	7-sieben	14-vierzehn	30-dreißig*	32-zweiunddreißig
2-zwei	8-acht	15-fünfzehn	40-vierzig	43-dreiundvierzig
3-drei	9-neun	16-sechzehn*	50-fünfzig	54-vierundfünfzig
4-vier	10-zehn	17-siebzehn*	60-sechzig	65-fünfundsechzig
5-fünf	11-elf	18-achtzehn	70-siebzig	76-sechsundsiebzig
6-sechs	12-zwölf	19-neunzehn	80-achtzig	87-siebenundachtzig
			90-neunzig	99-neunundneunzig

百 (100) (ein)hundert

101-(ein)hunderteins

千 (1000) (ein)tausend

万 (10 000)zehntausend

十万 (100 000) (ein)hunderttausend

百万 (1 000 000) eine Million

2 345 678 zwei Millionen dreihundertfünfund-
vierzigtausendsechshundertachtundsiebzig

[handschriftliche Notizen:]

100 (ein) hundert

200 zweihundert

sechstausend

15123379074

138582 2872

13585 23

9787560 8 19

123 (ein) hundert dreiundzwanzig

13585 35723

138582 872

1358670 18

249

7 4   616   9 7

siebenhundertvierund zwanzig

sechshundertsechzehn

neunhundertsiebenundneunzig

Vokabeln

🎧 068 **Einführung**

*das	Leben			生活，生命	Das Leben hier in Hangzhou ist schön.
*	an	Präp.		在……时候， 在 / 到……旁	Studiert sie noch an der Universität?
*der	Vormittag -e			上午	Am Vormittag arbeitet man.
*der	Mittag -e			中午	Es ist Mittag.
*der	Nachmittag -e			下午	Am Nachmittag lernen die Kinder nicht.
*	frühstücken			吃早餐	Die Studentin frühstückt gut.
*	auf/stehen			起床；起立， 站起来	Stehen Sie bitte auf!
*	zu	Präp.		在……时候	Ich esse in der Mensa zu Mittag.
*	essen (isst)			吃	Martin isst gern Eis.
*der	Sport o. Pl.			体育运动	Am Morgen treiben wir Sport.
*	treiben +A			从事，进行	Treibst du gern Sport?
*die	Vorlesung -en			(大) 课，讲座	Wo ist die Vorlesung?
*	besuchen			访问；探望； 上学；参观	Wir besuchen am Vormittag Vorlesungen.
*	nach	Präp.		(目标) 向……， 到……去 (时间) 在……之后	Nach der Vorlesung fährt Martin nach Hause.
*	fahren (fährt)			搭，乘，坐 (车)； 行驶	Ich fahre gern Rad.
*	trinken			喝，饮	Trinken Sie Kaffee oder Tee?
*das	Bett -en			床	Das ist mein Bett.
*	gehen			步行，走，前往	Er geht langsam.

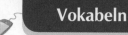

Text

*	immer		始终，经常，总是	Ich habe immer am Vormittag Unterricht.
*	haben (hat)		有，得到	Hast du am Nachmittag auch Unterricht?
*die	Pause -n		休息，停顿	Jetzt machen wir gerade Pause.
*	täglich	Adv.	每天的	Ich spreche täglich Deutsch.
*	von	Präp.	（时间）从……起；(所属关系)的	Von acht bis Viertel vor zwölf habe ich Unterricht.
*	acht	Num.	八	Um acht Uhr gehen wir zum Unterricht.
*das	Viertel		四分之一，一刻钟	Es ist Viertel nach sechs.
*	vor	Präp.	在……之前	Ich stehe um Viertel vor sechs auf.
*	zwölf	Num.	十二	Um zwölf Uhr essen wir zu Mittag.
*	um	Präp.	在……点钟	Um acht Uhr haben wir Deutschunterricht.
*	schon	Adv.	就，已经	Es ist schon Nacht.
*	so	Adv.	这样，如此	Stehst du so früh auf?
*	früh	Adj. /Adv.	早的；早上	Es ist nicht mehr früh.
*	wann	Adv.	何时	Wann stehst du denn auf?
*	laufen (läuft)		跑，跑步	Ich laufe schnell.
*	aktiv	Adj.	积极的，主动的	Die Studenten sind im Unterricht aktiv.
*	nicht	Adv.	不，没有	Ich esse oft nicht zu Mittag.
*	nur	Adv.	只，仅	Die Lehrerin spricht im Unterricht nur Deutsch.
*	bei	Präp.	在……时候，在……情况下	Er ist nicht nur beim Sport aktiv.
*	dein	Poss. pron.	你的	Dein Deutsch ist jetzt viel besser.
*	sehr	Adv.	很，非常	Ich lerne auch sehr viel.
*	viel	Adv. /Pron. /Num.	许多，大量	Thomas trinkt sehr viel Kaffee.
*	verstehen		理解，懂得	Verstehen Sie Frau Beckmann?
*	wohin	Adv.	向哪里，去何处	Wohin fährst du jetzt?
*	aber	Adv. /Konj.	但是，可是	Ich trinke viel Tee, aber sie trinkt viel Kaffee.
*	erst	Adv.	刚刚，才	Es ist erst sieben Uhr.
*	halb	Adj.	一半（的）	Ich frühstücke um halb acht.

*	wie viel / wieviel	Adv.	多少	Um wie viel Uhr isst du dann zu Mittag?
*die	Uhr -en		钟点；表，钟	Ich habe zwei Uhren.
*	meistens	Adv.	通常，一般，大多数情况下	Ich frühstücke meistens sehr gut.
*	mal	Part.	(表示请求语气)啊	Sag mal, hast du täglich Unterricht?
		Adv.	吧；一次	Lesen Sie mal den Text laut!
		Konj.	(曾经或以后)；乘	Drei mal drei ist neun.
*	heute	Adv.	今天，当今	Hast du heute Abend Zeit?
*die	Zeit -en		时间，时刻	Wann hast du Zeit?
*	geben (gibt)		给予	Thomas gibt heute Abend eine Party.
*die	Party -s		聚会	Wo gibt er die Party?
*	kennen		认识，了解	Kennst du ihn nicht?
*	neu	Adj.	新来的，新的	Er ist neu hier.
*	leider	Adv.	可惜，遗憾	Ich habe leider keine Zeit.
*	kein (kein, keine; keine)	Pron.	没有，无	Wir haben heute Nachmittag keinen Unterricht.
*der	Donnerstag -e		星期四	Schreiben wir am Donnerstag eine Prüfung?
*die	Prüfung -en		考试，检验	Wann haben wir eine Prüfung?
*der	Freitag -e		星期五	Am Freitag haben wir eine Prüfung.
*	zusammen	Adv.	一起，共计	Machen wir die Hausaufgaben zusammen?
*die	Hausaufgabe -n		家庭作业	Ich mache zuerst meine Hausaufgaben.
*	nie	Adv.	从未，永不	Du hast nie Zeit für deine Freunde.
*	für +A	Präp.	为了，对于	Du hast auch nie Zeit für dein Leben.
*	schlafen (schläft)		睡觉	Schläfst du eigentlich noch?
*	eigentlich	Part.	究竟	Wie spät ist es eigentlich?
*	spät	Adj.	迟，晚	Es ist schon spät.
*	beginnen		开始	Der Unterricht beginnt.

Übungen

070

*	warum	Adv.	为什么	Warum lernen Sie Deutsch?
*der	Montag -e		星期一	Was machst du am Montag?
*die	Telefonnummer -n		电话号码	Wie ist deine Telefonnummer?
*die	Stunde -n		小时，课时	Wie viele Stunden schläfst du täglich?
*der	Tofu o. Pl.		豆腐	Kennen Sie Tofu?

*	hundert	Num.	百	Die Universität ist sechs hundert Jahre alt.
*	tausend	Num.	千	Zwei tausend Deutsche studieren in China.
*das	Auto -s		小汽车	Das sind Autos aus Deutschland.
*	endlich	Adv.	总算，终于	Endlich hast du mal Zeit für mich.
*die	E-Mail -s		电子邮件	Ich lese und schreibe täglich E-Mails.
*	interessant	Adj.	有趣的，令人感兴趣的	Das ist aber interessant.
*	oft	Adv.	经常，常常	Schreibt ihr auch oft Mails?
*	sehen (sieht)		看，看见	Was siehst du denn gerade?

Intentionen

*der	Zug ⸚e		火车	Der Zug fährt sehr schnell.
*	ab/fahren (fährt ab)		开出	Wann fährt der Zug von Berlin ab?

Hörverstehen

*die	Zahl -en		数字	Heute lernen wir Zahlen, eins, zwei, drei ...
*das	Jahr -e		年，（年）岁	Wie viele Tage hat ein Jahr?
*	alt		老的，旧的	Ich bin 20 Jahre alt.
*der	Dienstag -e		星期二	Morgen ist Dienstag.
*der	Mittwoch -e		星期三	Aber am Mittwoch habe ich Zeit.

Leseverstehen

*die	Million -en		百万	Tausend mal tausend ist eine Million.
*die	Hochschule -n		高等学校，大学	Wie viele Hochschulen gibt es jetzt in China?
*die	Kunst ⸚e		艺术；技巧	Musik ist (eine) Kunst.
*die	Fachhochschule -n		应用技术大学	Wie heißt Fachhochschule auf Chinesisch?
*	insgesamt	Adv.	总共，合计	Unsere Universität hat insgesamt 30 000 Studenten.
*der	Ausländer - (die Ausländerin -nen)		外国人（女外国人）	Da Shan, ein Ausländer, spricht sehr gut Chinesisch.
*	etwa	Adv.	大约，将近	Heute stehe ich etwa um halb sechs auf.
*das	Ausland o. Pl.		外国	Mein Freund studiert im Ausland.

FAMILIE

EÜ 1 Was sehen Sie hier?

EÜ 2 Welche Familienmitglieder sehen Sie?

EÜ 3 Gibt es hier Unterschiede （区别）?

Text Meine Oma hat Geburtstag

 Dialog 1 (Ein Telefongespräch)

Das Telefon klingelt. ...

Maria:	Lehmann.
Anna:	Oma, ich bin's[1].
Maria:	Hallo, Anna!
Anna:	Hallo, Oma! Mama sagt,
5	du hast bald Geburtstag,
	du bist schon 60, nicht wahr[2]?
Maria:	Ja, mein Schatz, warum fragst
	du? Hast du etwas vor?
Anna:	Mama und Papa planen gerade deine Geburtstagsfeier.
10	Wir machen eine Feier für dich! Wie findest du das?
Maria:	Oh, das ist aber lieb! Ist deine Mama oder dein Papa da?
Anna:	Ja, einen Moment bitte.
Lena:	Hallo, Mama, wir machen am Samstagabend bei dir[3] eine
15	Geburtstagsfeier für dich. Was meinst du?
Maria:	Ja, gerne! Da habe ich nichts vor.
Lena:	Wir laden meine Geschwister, andere Verwandte und
	Freunde ein! Jonas und ich gehen am Freitag einkaufen[4].
	Ich bestelle gleich eine Geburtstagstorte. Was schlägst du
20	noch vor?
Maria:	Ich koche was für euch und ...
Lena:	Nein. Du bist das Geburtstagskind und wir machen alles
	für dich.
Maria:	Aber ich mache gerne mit. Übrigens, machen wir
25	zusammen noch ein Familienfoto.
Lena:	Ja, eine gute Idee!
	... ...

Handwritten annotations:
- Haben Sie heute etwas vor?
- Ich habe nichts vor.
- Nichts Besonders. (oral) nothing
- ① aber + adj.: 起强调作用
- ② einladen: 邀请
- ③ vorschlagen: 建议
- ④ mitmachen: 一起参加
- vorhaben 计划
- 意外
- da sein: 在
- +第三格
- 认为 (meinst)
- cake
- cook
- 寿星 (Geburtstagskind)
- 订购, 点菜 (bestelle)

Dialog 2 (4 Tage später)

Luis:	Anna, was ist denn das? Oh, ein Familienfoto!
Anna:	Ja, genau. Es ist ganz neu.
Luis:	Das Foto ist sehr schön.
Anna:	Ja. Meine Oma ist das Geburtstagskind. Sie ist 60 Jahre alt.
5 Luis:	Das hier ist bestimmt deine Oma.
Anna:	Richtig, das ist meine Oma.
Luis:	Deine Oma sieht aber sehr fit aus!
Anna:	Natürlich! Sie lebt sehr gesund. Sie steht früh auf, raucht nicht und trinkt auch keinen Alkohol.
10 Luis:	Wirklich nie?
Anna:	Doch, manchmal schon, aber selten. Außerdem fährt sie oft Fahrrad. Das ist ihr Hobby.
Luis:	Meine Oma auch! Übrigens, ist der Mann da dein Vater und die Frau deine Mutter?
15 Anna:	Nein. Das hier sind mein Onkel Felix und meine Tante Leoni. Er ist Ingenieur und sie ist Sekretärin. Sie beide wohnen und arbeiten in Österreich.
Luis:	Ach so! Dann sind das bestimmt deine Eltern.
Anna:	Ja. Meine Mutter Lena und mein Vater Jonas.
20 Luis:	Wer ist der Mann links? Er sieht sehr nett aus.
Anna:	Er heißt Karl, Omas Lebensgefährte. Sie sind nicht verheiratet, leben aber zusammen.

Hilfe zum Verstehen

1. Ich bin´s. 是我。
2. nicht wahr? 是吗？
3. bei dir 在你那里
4. einkaufen gehen 去购物

⊗TÜ 1 Steht das im Text? Kreuzen Sie an.

		Ja	Nein
1	Die Großmutter ruft ihr Enkelkind an. *ruft an*		✔
2	Die Großmutter hat bald Geburtstag.	✔	
3	Die Familie plant für die Großmutter eine Geburtstagsfeier.	✔	
4	Lena und Felix gehen am Freitag einkaufen.		✔
5	Jonas bestellt am Freitag eine Geburtstagstorte.		✔
6	Oma lebt sehr gesund.	✔	
7	Felix und Leoni wohnen und arbeiten in Deutschland.		✔
8	Maria und Karl sind verheiratet.		✔

TÜ 2 *Rund um die Oma*（关于祖母的信息）Bitte ergänzen Sie.

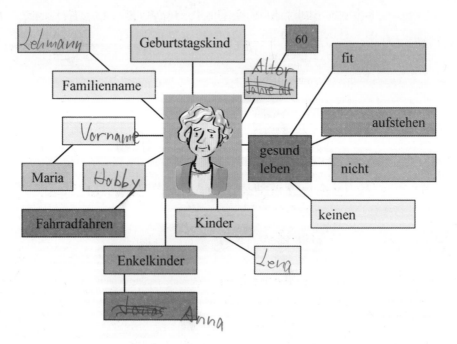

TÜ 3 *Rund um die Oma* **Bitte sprechen Sie.**
Fangen Sie so an:（请您这样开始：）

1) Anna hat eine Oma. Sie heißt ...

TÜ 4 *Infos über die anderen Personen* **Tragen Sie ein.**

Anrede（称谓）			Vater	
Vorname	Felix	Anna (ich)		Lena
Sonstiges（其他）				

TÜ 5 *Infos über die anderen Personen* **Sprechen Sie.**
Fangen Sie so an:（请您这样开始：）

Mein Onkel heißt Felix. Er arbeitet und ...

TÜ 6 **Sammeln Sie Infos über Ihre Eltern, Verwandten und Freunde.**

Benutzen Sie die Stichwörter: Name, Alter, Herkunft（来自……）, Beruf（职业）, Hobby, Wohnort（居住地点……）

TÜ 7 **Stellen Sie Ihre Eltern, Verwandten und Freunde vor.**（介绍您的父母、亲戚和朋友。）

TÜ 8 **Lernen Sie eine andere Familie kennen. Klicken Sie auf**

1) *http://www.familie.de*
2) *http://www.eltern.de*
3) *http://de.wikipedia.org*
4) *http://www.goethe.de*

TÜ 9 **Stellen Sie Ihre Internetfamilie vor.**

Fangen Sie so an: Meine Internetfamilie heißt ...

GÜ 1 **A:** *Ein Dialog zwischen Mann und Frau*（夫妻间的对话）
Bitte ergänzen Sie.

A Bald hat Anna Geburtstag. Was ~~hast~~ *schlägst* du da _vor_?

B Wir machen eine Party und Anna ~~tach~~ *lädt* ihre Freunde _ein_! Was meinst du?

A Gute Idee! Aber wer ~~geht~~ *einkaufen*.

B Du. Du hast immer gute Ideen. Oder wir machen das zusammen.

A Ja. ... aber ich ~~gehe einkau~~ wir fragen zuerst Anna, wie viele Freunde sie einlädt.

vorschlagen *einladen* *vorhaben* *einkaufen*

vorschlage + do sth

B: Sport ist gesund. Bitte ergänzen Sie.

Ⓐ Sagen Sie mal, Frau Lehmann, Warum _sehen_ Sie immer so fit _aus_ ?

Ⓑ Naja, ich treibe oft Sport. Ich _fahre_ gern
Fahrrad

Ⓐ Nur Fahrradfahren?

Ⓑ Außerdem _rauche_ ich nicht und _trinke_
keinen Alkohol.

Ⓐ Und was noch?

Ⓑ Ich gehe früh ins Bett und _stehe_ früh
auf.

Fahrrad fahren
aufstehen
aussehen
rauchen
trinken

GÜ 2 Was passt zusammen? Bitte ordnen Sie zu.

1) Hanna trinkt gern	A Reis.	1) ____
2) Gao Xiang spielt gern	B Fußball.	2) ____
3) Opa isst gern	C Österreich.	3) ____
4) Luis treibt gern	D Kaffee.	4) ____
5) Das sind	E Sport	5) ____
6) Tim kommt aus	F Zeitungen	6) ____
7) Sein Onkel ist	G Unterricht	7) ____
8) Um acht Uhr haben wir	H Ingenieur	8) ____

⊗ GÜ 3 „kein(e/en)" oder „nicht" ? Bitte kreuzen Sie an.

1) Jonas hat _____ Sohn, sondern eine Tochter.

☐ A nicht   ☐ B kein   ☐ C keinen

2) Leoni kommt _____ aus Deutschland.

☐ A kein   ☐ B keinen   ☐ C nicht

3) Familie Bauer hat _____ Haus, aber ein Auto.

☐ A keinen   ☐ B kein   ☐ C nicht

4) Luis findet seinen Fußball _____ mehr.

☐ A keinen   ☐ B nicht   ☐ C kein

5) Mein Opa sieht _____ alt aus.

☐ A kein   ☐ B nicht   ☐ C keinen

6) Felix hat zwei Söhne, aber er hat _____ Tochter.

☐ A kein   ☐ B nicht   ☐ C keine

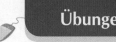

GÜ 4 „sein(e)" oder „ihr(e)"? （"他的" 还是 "她的"？）Bitte ergänzen Sie.

1) Felix wohnt in Österreich. Er ist Ingenieur. _____ Frau ist Sekretärin. Sie haben drei Kinder. _____ Kinder sind fünf, sieben und neun Jahre alt. Felix treibt oft Sport. _____ Hobby ist Fußballspielen. _____ Sohn spielt oft mit.

2) Frau Schemanski kommt aus Polen. Sie ist Hausfrau（家庭妇女）. _____ Mann ist Kaufmann（商人）. _____ Eltern wohnen nicht in Deutschland. _____ Kinder sind noch klein. Frau Koch lernt jetzt Deutsch. _____ Deutschlehrerin heißt Lehmann.

GÜ 5 *Zu Hause* （在家）Bilden Sie Dialoge.

Beispiel:

Ⓐ Herr Lehmann: Wo ist mein Kaffee? Ich finde meinen Kaffee nicht mehr.

Ⓑ Putzfrau（清洁女工）: Ihren Kaffee? Ach, da ist Ihr Kaffee!

Kaffee
Handy
Brief
Zeitung
Uhr
Telefonbuch

GÜ 6 *Ein Gespäch zwischen Mutter und Sohn* Bilden Sie Dialoge.

Beispiel:

Ⓐ Wo ist meine Mappe? Ich finde meine Mappe nicht mehr.

Ⓑ Deine Mappe? Ach, da ist deine Mappe!

Mappe
Jacke
Spiegel
Laptop
Buch
Fußball

GÜ 7 *Familie Hofmann* Bitte beschreiben Sie.（请您叙述霍夫曼一家的情况。）

Beispiel:

1) Anna beschreibt: Das ist Maria. Sie ist _____ Großmutter. Josef ist _____ Mann und _____ Großvater. Jonas ist _____ Vater und ich bin _____ Tochter. Das hier ist _____ Mutter. Sie heißt Lena. Hier sind mein Onkel und _____ Frau, _____ Tante Leoni. Sie haben ein Kind. Das ist _____ Bruder. Sein Name ist Mika. Das ist meine Schwester. Sie ist schon groß. Sie heißt Linda.

2) Linda beschreibt ...

3) Jonas beschreibt ...

4) Josef beschreibt ...

GÜ 8 *Ein Dieb*（小偷，贼）*spricht mit zwei Kindern*
Bitte ergänzen Sie.

Beispiel:

> **D** Wie heißt *euer* Vater und wo arbeitet er?
>
> **K** *Unser* Vater heißt Polizei und er arbeitet auch dort.

1) **D** Wie heißen eure Mutter und eure Großmutter?

   K _____ Mutter heißt Mutter und _____ Großmutter heißt Großmutter.

2) **D** Wo wohnt eure Tante?

   K Unsere Tante wohnt nicht hier.

3) **D** Wo ist _____ Bruder?

   K _____ Bruder ist im Kindergarten.

4) **D** Was ist euer Onkel von Beruf?

   K _____ Onkel spielt Fußball.

5) **D** Wohin geht ihr denn?

   K Wir gehen zur Polizei. Kommst du mit?

GÜ 9 „ja", „nein" oder „doch"? Bitte ergänzen Sie.

1) **A** Hast du keine Freunde?

   B *Doch*, Freunde habe ich, aber ich finde sie jetzt nicht.

2) **A** Sprechen Sie Deutsch?

   B _____, aber nicht sehr gut.

3) **A** Trinken Sie keinen Tee?

   B _____, lieber Kaffee.

4) **A** Trinken eure Eltern gern Tee?

   B _____, sie trinken gern Tee.

5) **A** Hast du heute keine Zeit?

   B _____, heute habe ich Zeit.

6) **A** Bist du Student?

   B _____, ich studiere Chemie.

Ja, nein, doch, was willst du noch?

Vorschläge machen,
Einladung annehmen und ablehnen
提建议、接受或拒绝邀请

- Ich schlage vor, ...
- Ich habe einen Vorschlag: ...
- Ich habe eine Idee: ...
- Haben Sie (am Samstag) Zeit? Wir ...
- Habt ihr Lust? Wir ...
- Ich gebe am ... eine Party und lade Sie/euch ein.
- Ich lade dich ins Kino ein.

- Prima!
- Ja, gerne! Wann ist ... ?
- Sehr schön! Um wie viel Uhr?
- Vielen Dank!
- Das ist sehr nett von dir/Ihnen.
- Gut, abgemacht!
- Das ist aber lieb!
- Gut, ich komme.

- Tut mir Leid. Ich habe da keine Zeit.
- Ich habe keine Zeit und auch kein Geld.
- Vielen Dank! Aber ich habe schon eine Verabredung. (我已有约了。)
- Leider habe ich schon etwas vor.
- Entschuldigung, ich gehe jetzt zum Unterricht.
- Ich habe keine Lust.
- Es geht leider nicht.

IÜ 1 *Vorschläge machen und Einladungen annehmen*
Bilden Sie Dialoge.

Beispiel: **A** Ich schlage vor, *wir gehen ins Kino*.

B Ja, gern. Um wie viel Uhr?

A Um sieben. Geht das?

B Gut, abgemacht.

Fußball spielen
Tennis spielen
auf eine Party gehen
einen Ausflug machen
Kaffee trinken
zusammen Deutsch lernen
unsere Freunde besuchen
ins Kino gehen

IÜ 2 **Lehnen Sie ab. Antworten Sie.**

Beispiel: **A** Ich habe eine Idee. Wir machen zusammen einen Ausflug.

B Tut mir Leid. Ich habe schon eine Verabredung.

1) **A** Ich habe einen Vorschlag. Wir trinken (heute Nachmittag zusammen) Kaffee/Tee.

B _____.

2) **A** Ich habe eine Idee. Wir spielen jetzt Fußball.

B _____.

3) **A** Haben Sie (am Freitag Nachmittag) Zeit? Wir lernen zusammen Deutsch.

B _____.

Meine Familie

HÜ 1 **Rolli singt. Hören Sie das Lied einmal.**
075

HÜ 2 **Hören Sie das Lied zum zweiten Mal und ergänzen Sie.**
075

A: Ich __habe__ eine Schwester. Sie heißt ~~Data~~. Maria

B: Ich habe __eine__ Bruder. Peter ist sein ~~Susanne~~ ~~Zeiname~~

Zusammen: Das ist __eine__ Familie.

meiner

C: Daniels _____ Schwester _____ heißt Susanne. Miriams Bruder, wie _____ ist _____ sein Name?

D: Ich habe _____ keine _____ Geschwister. Ich _____ bin _____ allein. _____ Ich _____ habe viele Tiere in meiner Familie. _____ Ein _____ Meerschweinchen（荷兰猪）, zwei _____ kleine Kätzchen（小猫）, _____ drei _____ Wellensittiche（鹦鹉）, _____ einen _____ Hund, einen Fisch（鱼）, und eine große _____ Katze _____ in meiner Familie. Ein Meerschweinchen. Zwei kleine Kätzchen, drei Wellensittiche, einen _____ Hund _____, einen _____ Fisch _____ und eine große Katze in meiner Familie.

🎧 **HÜ 3** **Hören Sie das Lied noch einmal und singen Sie mit.**（请跟着唱。）

075

Quelle: „Hallo aus Berlin!"

Rolli

Susanne

Miriam

Daniel

Familienformen in Deutschland

Eine Vater-Mutter-Kinder-Familie

Thomas Lehmann ist Ingenieur, seine Frau Sophie Lehmann Sekretärin. Sie haben zwei Kinder, Sohn Alex (10) und Tochter Anna (7). Sie gehen beide zur Schule. Vater und Sohn spielen gern Fußball, Mutter und Tochter spielen lieber Tennis. Sie gehen oft essen oder ins Kino und besuchen die Großeltern. In den Ferien[1] fahren sie in den Urlaub. Familie Lehmann hat noch ein Mitglied. Es ist der Hund Bobby. Er holt gern Alex und Anna von der Schule[2] ab.

Alleinerziehende Mutter（单亲妈妈）

Astrid ist 33 Jahre alt. Sie arbeitet vormittags in einem Supermarkt. Astrid hat keinen Mann, aber eine Tochter. Sie heißt Lilly und ist 5 Jahre alt. Mutter und Tochter leben zusammen und bekommen Kindergeld[3].
Lilly besucht den Kindergarten. Ihr Vater Erwin holt sie immer freitags ab. Er geht auch zum Elternabend. Manchmal ist seine Freundin auch mit dabei, z. B. bei Lillys Geburtstag. Das finden sie alle ganz normal.

Partnerschaft（伙伴关系）

Simon Schäfer ist 40 Jahre alt und arbeitslos. Seine türkische Partnerin Dünya (29) hat einen Teilzeitjob und arbeitet dreimal in der Woche. Simon macht nachmittags mit den Kindern Emir und Emina die Hausaufgaben und kocht für die Familie. Dünya hilft auch oft in der Küche. Sie beide sind mit der Rollenverteilung zufrieden[4].

Single（单身）

Markus Schneider arbeitet als Kaufmann in Leipzig. Er ist 43 und alleinstehend. Er hat eine feste Freundin, Julia ist ihr Name. Sie ist 32 und gibt Deutschunterricht in Italien. Er besucht sie oft und sie ihn auch. Jeder hat eine Wohnung, ein Auto und eine feste Stelle. Sie reisen viel und haben zusammen noch ein Ferienhaus. Sie finden ihr Leben sehr schön.

Hilfe zum Verstehen

1. in den Ferien 在假期中
2. von der Schule 从学校
3. Kindergeld 儿童补贴
4. mit … zufrieden sein 对……感到满意

LÜ 1 Vier Lebensformen. Bitte ergänzen Sie.

	Alter	Beruf / Tätigkeit	Rolle in der Familie		Sonstiges
Thomas			Vater	Fußball	essen gehen
Sophie		Sekretärin		Tennis	ins Kino
	10		Sohn	Fußball	
Anna	7		Tochter		zur Schule, …
Bobby					
Astrid	33	arbeitet vormittags. im Supermarkt			Kindergeld
Lilly	5		Tochter		Kindergarten
Erwin					Vater, Elternabend
Simon Schärfer	40		Vater		Hausaufgaben kochen
Dünya		Teilzeitjob	Mutter		hilft in d. Küche
Emir					
Emina					Schülerin
Markus Schneider	43	Kaufmann	Single		Gehalt, Wohnung, Auto, ein Teil vom Ferienhaus
Julia	32	Lehrerin	---	---	wie oben

LÜ 2 Welche Familienformen haben Sie kennen gelernt? Erzählen Sie.（你了解哪些家庭形式？）

LÜ 3 Wollen Sie mehr über die Lebensformen in Deutschland wissen, klicken Sie auf

http://www.familienhandbuch.de
http://de.wikipedia.org
http://www.destatis.de

I. Trennbare Verben （可分动词）

构成特点					Beispiele:
	可分动词 ———		可分前缀 +	根动词	
	aufstehen	→	auf +	stehen	
	vorhaben	→	vor +	haben	Abends *sieht* er oft *fern*.
语音	**auf**stehen, **fern**sehen		重音在前缀上		*Hast* du morgen Abend etwas *vor*?
语法	Täglich（每天）**steht** er um 6 Uhr **auf**.		前缀与根动词分离（在现在时和过去时的主句中）		

II. Nullartikel （零冠词）

序号	Beispiele	说　明
1	Hans trinkt gern *Tee*.	指不可数物质名词，如：Öl, Wasser, 等。
2	Das sind *Bücher*.	泛指复数名词。
3	*Herr Müller* ist *Lehrer*.	表示职业、身份、国籍、民族等作属类补足语的名词和表示称呼的名词
4	Sie kommt aus *Deutschland*	表示中性的国名和地名。
5	Ich *treibe* täglich（每天）*Sport*. Er geht *nach Hause*.	与动词谓语构成整体概念的名词或在一些固定词组中。

III. Negation mit „kein" und „nicht" （否定带不定冠词和不带冠词的名词）

否定词	否定范围	位　置
kein	否定带不定冠词和不带冠词的名词。	kein Buch　（与被否定的名词 keine Zeit　保持性、数和格一致。）
nicht	否定 kein 否定范围以外的所有情况。	否定句子成分：位于该成分前面。 否定整个句子：位于句末。

Beispiele:

A Hast du heute Abend *Zeit*?

B Nein, heute Abend habe ich *keine Zeit*.

A Ich habe einen Bruder. Und du?

B Ich habe *keinen Bruder*.

Hans kommt heute *nicht*.

Hans kommt nicht heute, (sondern ...)

Nicht Hans kommt heute, (sondern ...)

IV. Possessivpronomen im Nominativ und Akkusativ（物主代词的第一格和第四格）物主代词表示所属关系，它与被限定的名词保持性、数和格一致。

人称代词	性 格 数	Sing.			Pl.
		m	**f**	**n**	
ich	N	mein	meine	mein	meine
	A	mein**en**	meine	mein	meine
du	N	dein	deine	dein	deine
	A	dein**en**	deine	dein	deine
er	N	sein	seine	sein	seine
	A	sein**en**	seine	sein	seine
sie	N	ihr	ihre	ihr	ihre
	A	ihr**en**	ihre	ihr	ihre
es	N	sein	seine	sein	seine
	A	sein**en**	seine	sein	seine
wir	N	unser	unsere	unser	unsere
	A	unser**en**	unsere	unser	unsere

续表

人称代词	数性格	Sing.			Pl.
		m	f	n	
ihr	N	euer	eur**e**	euer	eur**e**
	A	eur**en**	eur**e**	euer	eur**e**
sie	N	ihr	ihre	ihr	ihre
	A	ihr**en**	ihre	ihr	ihre
Sie	N	Ihr	Ihre	Ihr	Ihre
	A	Ihr**en**	Ihre	Ihr	Ihre

注：对物主代词提问用 wessen。

Beispiele: (A) <u>Wessen</u> (谁的) Buch ist das?
(B) Das ist <u>mein Buch</u>.
(A) <u>Was</u> macht Hans morgen?
(B) Morgen besucht er <u>seinen Freund</u> in München.

V. „ja", „nein", „doch"

肯定与否定		
问名类型	回 答	
	肯定	否定
不带否定词	ja	nein
带否定词	doch	nein

Beispiele:
A: Kommen Sie aus Deutschland?
B: **Ja**, aus Berlin./ **Nein**, aus Österreich.
A: Lernt Peter **nicht** fleißig?
B: **Doch**. (Er lernt fleißig.)
   Nein. (Er lernt nicht fleißig.)
A: Hast du heute **keinen** Unterricht?
B: **Doch**, ich habe Deutschunterricht.
   Nein, ich habe keinen Unterricht.

Vokabeln

Einführung

*die	Familie -n		家庭，家人	Meine Familie hat vier Mitglieder.
*das	Mitglied -er		成员	
*	Eltern Pl.		父母亲，双亲	Das sind unsere Eltern.
*der	Vater ∺e		父亲，爸爸	Mein Vater heißt Jonas.
*die	Mutter ∺		母亲，妈妈	Meine Mutter heißt Lena.
*der	Onkel -		叔叔，舅舅	Mein Onkel und meine Tante wohnen nicht hier.
*die	Tante -n		姑妈，姨妈	
*der	Sohn ∺e		儿子	Ich habe einen Sohn und eine Tochter.
*die	Tochter ∺		女儿	
*der	Bruder ∺		兄弟，哥哥，弟弟	Ich habe einen Bruder und eine Schwester.
*die	Schwester -n		姐妹，姐姐，妹妹	
*die	Schwiegertoch-ter ∺		儿媳，媳妇	Das ist meine Schwiegertochter.
*	Geschwister Pl.		兄弟姐妹	Ich habe keine Geschwister, ich bin allein.
#die	Generation -en		世代，代	Hier sind drei Generationen.
*das	Enkelkind -er		（外）孙子／女	Ich bin euer Enkelkind.
*die	Oma -s		祖母，奶奶，外婆	Ihr seid meine Oma, mein Opa oder meine Großeltern
*der	Opa -s		祖父，爷爷，外公	
*	Großeltern Pl.		祖父母	

Text

*der	Geburtstag -e		生日	Wann hast du Geburtstag?
*das	Telefon -e		电话	Das Telefon klingelt.
*das	Gespräch -e		谈话，交谈，会话	Ich bin dein Gesprächspartner.
*	klingeln		按铃，铃响	Es klingelt.
*	bald	Adv.	不久	Er kommt bald.
*der	Schatz ∺e		宝贝，亲爱的	Komm, mein Schatz.

*	etwas	Pron.	某事，某物；一些事，一些东西；一点儿，一些	Hast du für den Kindertag etwas vor?
*	vor/haben		打算，意图,计划	
*	planen		计划，安排	Wir planen eine Feier für sie.
*die	Feier -n		庆祝活动，庆典	
*	finden		觉得，认为；找到，发现	Das finde ich gut!
*	lieb	Adj.	（令人）亲切的，亲爱的，友善的	Das ist aber lieb!
*der	Moment -e		片刻，瞬息	Bitte einen Moment!
*der	Samstag -e		星期六，周六	Samstag heißt auch Sonnabend.
*	meinen		认为，观点，看法	Machen wir eine Pause? Was meinst du dazu?
*	nichts	Pron.	一点儿没有，什么也没有	Da habe ich nichts vor.
*	ein/laden (lädt ein)		邀请	
*	andere	Pron.	其他的	Wir laden andere Verwandte auch ein.
*der	Verwandte -n (die Verwandte, -n)		亲戚	
*	ein/kaufen		购物；买进	Ich gehe gern einkaufen.
*	bestellen		订购，预定	
*	gleich	Adv.	马上	Ich bestelle gleich eine Torte.
*die	Torte -n		圆形蛋糕	
*	vor/schlagen (schlägt vor)		建议，提议	Was schlägst du noch vor?
*	kochen		做菜饭；煮，烧，烹调	Was kochst du da?
*das	Geburtstagskind -er		寿星	Meine Oma ist heute das Geburtstagskind.
*	mit/machen		一起干，参与做	Machen Sie mit!
*die	Idee -n		注意，想法，点子	Das ist eine gute Idee!
*	genau	Adv.	对的，是的；精确的	Meine Uhr geht ganz genau.
*	ganz	Adv.	蛮，挺，很，甚，相当；完好的，完整的	Deine Uhr ist ganz schön.
*	bestimmt	Adv.	一定，肯定地	Das hier ist bestimmt deine Oma.
*	richtig	Adj.	正确的	Das ist richtig.

*	aus/sehen (sieht aus)		看上去，显得	Deine Oma sieht immer so fit aus.
*	fit	Adj.	精力充沛的，状态良好的	
*	gesund	Adj.	健康地	Sie lebt sehr gesund.
*	rauchen		抽烟，吸烟	Sie raucht nicht und trinkt auch keinen Alkohol.
*der	Alkohol -e mst o. Pl.		酒精，酒；含酒精的饮料	
*	wirklich	Adj.	真的，真实的，现实的	Trinken Sie wirklich nie Alkohol?
*	doch	Adv.	对否实之事表示肯定	Lernst du nicht Deutsch? Doch.
*	manchmal	Adv.	有时	Ich besuche manchmal meine Oma.
*	selten	Adv.	难得，很少，罕见，稀有	Sie trinkt selten Alkohol.
*	außerdem	Adv.	除此之外，此外	Außerdem fährt sie sogar oft Fahrrad.
*der	Ingenieur -e (die Ingenieurin -nen)		工程师	Mein Onkel ist Ingenieur und meine Tante Sekretärin. Sie leben beide in Österreich.
*der	Sekretär -e (die Sekretärin -nen)		秘书	
*	beide	Pron.	两个，两人	
*(das)	Österreich		奥地利（国家）	
*	nett	Adj.	友好的，和蔼的	Es ist sehr nett von Ihnen.
#der	Gefährte -n (die Gefährtin -nen)		伴侣，同伴	Ich bin noch nicht verheiratet, habe aber einen Lebensgefährte.
*	verheiratet	Adj.	已婚的，已结婚的	

078 **Übungen**

*	an/rufen		打电话	Rufen Sie mich bitte an!
*das	Handy -s		手机，移动电话	Jeder Student hat ein Handy.
*die	Polizei -en mst. o. Pl.		警察局；警方人员	Die Polizei ist dort.
*	dort	Adv.	那里，那儿	
*der	Beruf -e		职业	Was sind Sie von Beruf?
*	mit/kommen		一起来，一同去	Kommst du mit?
*	lieber	Komp./Adv.	宁可，宁愿，更喜欢	Ich trinke lieber Tee.

078 **Intentionen**

*der	Vorschlag ⸚e		建议，提议	Ich habe einen Vorschlag.

*die	Einladung -en		邀请	Ich schreibe gerade die Einladungen.
*	an/nehmen (nimmt an)		接受，接收；假设	Nimmst du den Vorschlag an oder lehnst du ihn lieber ab?
*	ab/lehnen		拒绝	
#	abgemacht	Adj.	一言为定，就这么着	Abgemacht!
	Leid/tun	o.pl.	遗憾，抱歉	Es tut mir Leid.
*die	Verabredung -e		约会，约定	Ich habe schon eine Verabredung.
*die	Lust o.Pl.		兴趣，兴致	Hast du Lust dazu?
*	leider	Adv.	遗憾，不惜，婉惜	Es geht leider nicht.
*	prima	Adj.	好极了，好棒	Prima!

 Hörverstehen

079

*das	Lied -er		歌，歌曲	Singen Sie bitte das Lied noch einmal!
*	einmal	Num.	一次	
*das	Tier -e		动物	Das Tier ist sehr lieb.
*der	Hund -e		狗	Ich habe einen Hund.

Lesetext

079

die	Form -en		形式	Es gibt viele Familienformen zur Zeit.
*der	Urlaub -e		假期，度假	Wann machen wir Urlaub?
*	ab/holen		接，取	Bobby holt mich täglich ab.
*	freitags	Adv.	每星期五	Er holt freitags die Tochter ab.
*	normal	Adj.	正常的，平常的	Ich finde das ganz normal.
*	arbeitslos	Adj.	失业的	Sie sind arbeitslos.
*	türkisch	Adj.	土耳其的	Das ist eine türkische Frau.
#die	Rollenverteilung -en		角色分配	Sie sind mit der Rollenverteilung zufrieden?
*	zufrieden	Adj.	满意	
*	als	Konj.	作为	Er arbeitet als Ingenieur.
#	alleinstehend	Adj.	单身的，独身的	Er ist Kaufmann, alleinstehend und hat eine feste Stelle.
*der	Kaufmann ...leute		商务职员，商人	
*	fest	Adj.	固定的	
*die	Wohnung -en		套房	Das ist meine Wohnung.
*die	Stelle -n		职位，岗位	Er findet keine Stelle.
*	reisen		旅行	Er reist viel.

Einheit 5

ESSEN UND TRINKEN

Kleine Karte

SUPPEN

...brühe mit Kräuterfladle
...Leberknödelsuppe mit Schmorzwiebeln 6,26 ... 5,48
...te Gulaschsuppe ... 7,04 ... 2,80
...ppe - überbacken "Französische Art" ... 7,04 ... 3,20
... 3,60
... 3,60

... tes E... mit Essig und Öl angemacht) ... 5,77 ... 2,95
... Salatschüss... on in Joghurtkräuter- ...
... knackig... hinken... Tomate, ... 5,77 ... 2,95
... Tom... und ...fisch, ... 16,04 ... 8,20
... und gekochtes Ei
... 17,02 ... 8,70

Kalte ...

...Wu...
...sch...
... Brot

205 **Belegtes Bauernbrot** mit gekochtem Schinken ... 12,22 ... 6,25
206 **Belegtes Bauernbrot** mit rohem Schinken ... 13,01 ... 6,65
... **Belegtes Bauernbrot** mit Käse ... 13,01 ... 6,65
208 **Brotzeitteller** „Kachelofen" mit Brot ... 13,98 ... 7,15
... 16,14 ... 8,25
... 17,11 ... 8,75

EÜ 1   Was sehen Sie auf dem Bild?

EÜ 2   Was essen und trinken Sie gern?

MÜNCHEN

Im Restaurant

Es ist 8 Uhr abends. Thomas lädt Xiaoming zum Abendessen im Restaurant „Zum Kaiser" ein.

Thomas:	Hier ist die Speisekarte. Schauen wir mal hinein.
Xiaoming:	Was gibt es denn heute?
5 Thomas:	Schnitzel mit Pommes Frites, Schweinebraten mit Klößchen und Rindersteak mit Bratkartoffeln. Und ... Was möchtest du gerne?
Xiaoming:	Schnitzel mit Pommes Frites mag ich sehr. Und dazu nehme ich noch einen Salat.
Thomas:	Ja, natürlich.
10 Xiaoming:	Und ich möchte noch eine Zwiebelsuppe als Vorspeise.
Thomas:	Die möchte ich auch bestellen.
Kellnerin:	Also, was möchten Sie gerne essen?
Thomas:	Wir hätten gerne[1] Schnitzel mit Pommes Frites und Rindersteak mit
15	Bratkartoffeln, zweimal Salat und als Vorspeise zwei Zwiebelsuppen.
Kellnerin:	Und was trinken Sie?
Thomas:	Trinkst du Bier, Xiaoming?
Xiaoming:	Nein, lieber einen Apfelsaft.
Thomas:	Es ist jetzt schon Abend. Du musst nicht mehr arbeiten[2]. Trink doch
20	einfach ein Bier mit mir!
Xiaoming:	Na gut, trinken wir Bier!
Thomas:	Also zwei Bier, bitte!

| Kellnerin: | Wünschen Sie sonst noch etwas? |
| Thomas: | Nein, danke. |

25

| Kellnerin: | Bitte schön, Ihre Suppen. Dann wünsche ich Ihnen einen guten Appetit! |
| Kellnerin: | Ihr Schnitzel mit Pommes Frites, Ihr Rindersteak mit Bratkartoffeln und Salat. Guten Appetit! |

| Thomas und | |

30

| Xiaoming: | Danke schön! |

Thomas:	Na, dann zum Wohl[3]!
Xiaoming:	Prost!
Thomas:	Guten Appetit!

35

Xiaomimg:	Gleichfalls!
Thomas:	Wie schmeckt es dir, Xiaoming?
Xiaoming:	Hm, gut! Das Schnitzel und die Pommes Frites sind lecker.
Thomas:	Mir schmeckt das Rindersteak auch sehr gut. Aber später probiere ich auch mal das Schnitzel. Ich komme öfter nach der Arbeit hierher. Die Atmosphäre hier im Restaurant gefällt mir nämlich sehr gut.

40

| Xiaomimg: | Das finde ich auch. |
| Thomas: | So, als Nachtisch möchte ich ein Eis. Iss doch auch eins! Das Eis hier schmeckt besonders gut. |

45

| Xiaoming: | Nein, danke. Eis mag ich nicht. Bestell dir ruhig eins. |

Thomas:	Zahlen, bitte!
Kellnerin:	Hat es geschmeckt[4]?
Thomas:	Ja, sehr gut.

50

Kellnerin:	Zahlen Sie getrennt oder zusammen?
Thomas:	Zusammen.
Kellnerin:	Das macht zusammen 28,50 Euro.
Thomas:	Bitte schön, hier sind 30 Euro. Stimmt so[5].
Kellnerin:	Vielen Dank.

55

| Xiaoming: | Also, Thomas, ich danke dir für das Essen. |
| Thomas: | Bitte, gern geschehen[6]. |

Hilfe zum Verstehen

1. Wir hätten gerne ... 我们想要……（客气地表示自己的愿望或要求。）

2. Du musst nicht mehr arbeiten. 你不必工作了。

3. Zum Wohl! 祝您健康！（祝酒用语）

4. Hat es geschmeckt? 味道如何？（餐馆服务员对客人的常用语）

5. Stimmt so. 不用找（零钱）了。

6. Gern geschehen. 别客气。

⊗TÜ 1   Was steht im Text? Kreuzen Sie an.

1) Xiaoming isst

☐   A. Schnitzel mit Pommes Frites und einen Salat.

☐   B. Schweinebraten mit Klößchen, einen Salat und eine Zwiebelsuppe.

☐   C. Schnitzel mit Pommes Frites, einen Salat und eine Zwiebelsuppe als
   Vorspeise.

2) Thomas isst

☐   A. Schweinebraten mit Klößchen, einen Salat und eine Zwiebelsuppe.

☐   B. Schnitzel mit Kartoffeln, einen Salat und eine Zwiebelsuppe.

☐   C. Rindersteak mit Bratkartoffeln, einen Salat und eine Zwiebelsuppe.

3) Thomas trinkt

☐   A. einen Apfelsaft.

☐   B. ein Bier.

☐   C. ein Bier und einen Apfelsaft.

4) Xiaoming isst

☐   A. als Nachtisch ein Eis.

☐   B. als Nachtisch Obst.

☐   C. als Nachtisch nichts.

5) Thomas bezahlt

☐   A. 28,50 Euro

☐   B. 30 Euro

☐   C. 30,50 Euro

TÜ 2   *Mein Wortschatz* Bitte sortieren Sie.

Wasser, Apfelsaft, Bier, Milch, Salat,
Schnitzel mit Pommes Frites,
Schweinebraten mit Klößchen,
Eis, Rindersteak mit Bratkartoffeln,
Cola, Sprite, Fanta, Tee, Kaffee, Zwie-
belsuppe, Wein, Pudding, Hähnchen,
Fisch, ...

TÜ 3 *Dialoge im Restaurant* **Was passt zusammen?**

1) Zahlen bitte!

2) Wie schmeckt denn das Schnitzel?

3) Guten Appetit!

4) Was möchten Sie essen?

5) Probieren Sie mal den Salat!

6) Möchten Sie auch ein Rindersteak?

7) Prost!

8) Stimmt so.

a) Danke, gleichfalls.

b) Nein, ich mag kein Rindfleisch.

c) Das macht zusammen 9,40 Euro.

d) Ja, gerne.

e) Ich hätte gern einen Schweinebraten mit Nudeln.

f) Sehr gut.

g) Danke.

h) Zum Wohl!

TÜ 4 *Dialoge im Restaurant* **Bilden Sie mit den Sätzen Dialoge.**

Ⓐ Die Speisekarte bitte.

Ⓑ _____

Ⓐ _____

Ⓑ _____

Ⓐ _____

Ⓑ _____

Ⓐ Wie schmeckt es dir?

Ⓑ _____

Ⓐ _____

Ⓑ _____

Ⓐ _____

Ⓑ _____

Ein Bier bitte.

Und was trinken Sie?

Ich hätte gern ein Schnitzel mit Pommes Frites.

Sehr gerne. Kommt sofort.

Was möchten Sie essen?

Als Nachtisch möchte ich ein Eis. Iss auch eins.

Nein, Eis mag ich nicht so gern.

Ja, den möchte ich gern mal probieren.

Sehr gut. Das Schnitzel ist lecker.

Magst du Pudding? Der Pudding hier schmeckt prima.

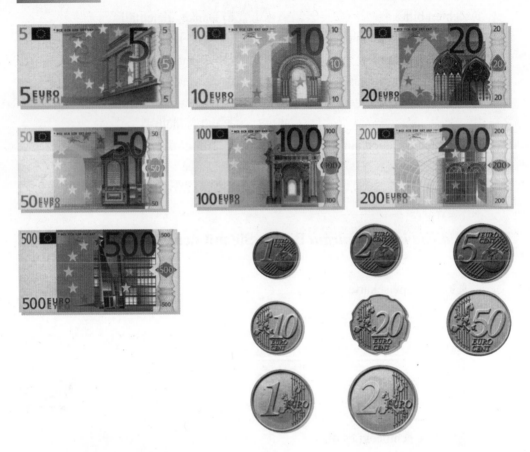

der Euro

TÜ 5 *In der Rechenstunde*
Rechnen Sie.

Beispiel:

	2,79 Euro
+	-,39 Euro
	3,18 Euro

→ zwei Euro neunundsiebzig
und neununddreißig Cent
macht zusammen drei Euro achtzehn.

10,66 Euro	72,10 Euro	-,33 Euro	88,53 Euro
+ -,12 Euro	+ 12,50 Euro	+ -,49 Euro	+ 20,99 Euro

TÜ 6 *Ein Gespräch im Restaurant* **Ergänzen Sie.**

Xiaoming: Herr Ober (服务员), bitte die _____

Kellner: Bitte sehr.

Xiaoming: Ich _____ bestellen.

Kellner: Was möchten Sie _____?

Xiaoming: Einmal Schnitzel mit Pommes Frites. _____ Sie Zwiebelsuppe?

Kellner: Ja, die _____ sehr gut.

Xiaoming: Dann bitte noch eine Zwiebelsuppe.

Kellner: Und was möchten Sie _____?

Xiaoming: Ich _____ gern ein Bier.

Kellner: _____ noch etwas?

Xiaoming: Nein, danke. Das ist _____.

Kellner: Das _____ zusammen 14 Euro.

Xiaoming: Herr Ober, _____, bitte.

Xiaoming: Hier sind 15 Euro. _____ so.

Kellner: Vielen Dank.

GÜ 1 *Geschmackssache* **Formen Sie um.**

Beispiel: Das Essen im China-Restaurant schmeckt Thomas.
Thomas mag das Essen im China-Restaurant.

1) Die Atmosphäre im China-Restaurant gefällt Herrn Müller.

2) Schweinebraten mit Klößchen schmeckt mir sehr gut.

3) Die Deutschlehrerin gefällt den Studenten.

4) Gefällt euch Berlin?

5) Die Blumen gefallen der Oma.

6) Jazz-Musik gefällt den Schülern.

GÜ 2 Was möchtest du trinken? Bilden Sie Dialoge.

Beispiel: **A** Ich trinke ein Bier. Und was möchtest du?

 B Ich hätte gern eine Cola.

 A

 B

 ...

Kaffee
Tee
Apfelsaft
Wasser
Fanta
Sprite
Bier
Cola

GÜ 3 Was möchtet ihr essen? Bilden Sie Dialoge.

Beispiel: **A** Wir essen Rindfleisch. Und was möchtet ihr?

 B Wir hätten gern Schweinefleisch.

 A

 B

 ...

Nudeln
Reis
Rindersteak
Eier
Fisch
Wurst
Schnitzel
Bratkartoffeln

GÜ 4 Wohin möchtest du? Bilden Sie Dialoge.

Beispiel: **A** Ich möchte nach Hause gehen. Und du?

 B Ich möchte in die Stadt fahren.

zum China-Restaurant / zu Mc Donald's

zur Vorlesung / ins Kino

nach Hamburg / nach Berlin

auf die Party / in die Disko

GÜ 5 Was magst du? Was mag Thomas? Bilden Sie Dialoge.

Beispiel: **A** Möchtest du Rindfleisch **essen**?

 B Nein, Rindfleisch **mag ich nicht so gern**.

 A Möchte Thomas **auch** kein Rindfleisch **essen**?

 B Doch, er mag Rindfleisch **sehr gern**.

GÜ 6 Der Dativexperte fragt. Bilden Sie Dialoge.

Was gefällt wem? (das Auto / sein Freund)

Beispiel: Ⓐ Wem gefällt das Auto?

  Ⓑ Es gefällt seinem Freund.

1) der Computer / der Lehrer

2) die Kamera / seine Freundin

3) das Restaurant / Herr Naumann

Was schmeckt wem? (das Rindersteak / sein Bruder)

Beispiel: Ⓐ Wem schmeckt das Rindersteak?

  Ⓑ Es schmeckt seinem Bruder.

1) Nudeln / sein Opa

2) die Zwiebelsuppe / meine Frau

3) das Schnitzel / das Kind

Wer hilft wem? (unser Lehrer / die Studentin)

Beispiel: Ⓐ Wem hilft unser Lehrer?

  Ⓑ Der Studentin hilft unser Lehrer.

1) er / seine Oma

2) ich / die Studentin

3) die Eltern / die Kinder

Wer dankt wem? (Peter und Monika / der Ingenieur)

Beispiel: Ⓐ Wem danken Peter und Monika?

  Ⓑ Peter und Monika danken dem Ingenieur.

1) das Geburtstagskind / Gäste

2) der Gast / der Kellner

3) Tim / seine Freunde

Was gehört wem? (das Fahrrad / die Studentin)

Beispiel: Ⓐ Wem gehört das Fahrrad?

  Ⓑ Der Studentin gehört das Fahrrad.

1) die Mappe / Herr Li

2) das Buch / der Schüler

3) die Uhr / sein Freund

GÜ 7 **Wie geht es dir? Ergänzen Sie.**

Mir geht es ganz schlecht!

> Hallo, Luise! Hallo, Franz! Wie geht's euch?

> _____ geht es nicht so gut. Und _____?

> Ganz gut. Aber warum geht's _____ nicht so gut?

> Unsere Eltern sind krank.

> Oh, das tut _____ Leid. Wie geht's _____ jetzt?

> Etwas besser.

GÜ 8 *Die Lehrerin und ihre Studenten* **Ergänzen Sie.**

Beispiel: **A** Gefällt die Lehrerin den Studenten?

B Ja, sie gefällt ihnen.

1) **A** Gehen die Studenten oft zur Lehrerin?

B Ja, sie gehen oft zu _____.

2) **A** Gehören die Bücher den Studenten?

B Ja. Die gehören _____.

3) **A** Schreibt Tim der Lehrerin den Brief?

B Ja, er schreibt ihr _____ Brief.

4) **A** Antwortet die Lehrerin Tim auf die Fragen?

B Ja, sie antwortet _____ .

5) **A** Hilft die Lehrerin Erika beim Lesen?

   B Ja, sie hilft _____ dabei.

6) **A** Danken die Studenten der Lehrerin für die Hilfe?

   B Ja, sie danken _____ dafür.

GÜ 9 *Weihnachtsgeschenke* Bilden Sie Dialoge.

Beispiel: **meine Mutter / ein Handy**

   A Du, sag mal, was schenken wir *meiner Mutter*?

   B *Deiner Mutter*? Schenken wir *ihr ein Handy*, oder?

1) mein Vater / eine Flasche Wein

2) meine Großeltern / ein Laptop

3) meine Schwester / ein Fahrrad

4) unser Nachbarskind / eine Torte

Beispiel: **der Spiegel / meine Oma**

   A Du, sag mal, wem schenken wir *den Spiegel*?

   B *Den Spiegel*? Schenken wir *ihn meiner Oma*, oder?

5) das Buch / mein Chef

6) die Kaffeetassen / meine Tante

7) der CD-Player / meine Eltern

8) das Bild / mein Onkel

GÜ 10 *Der verwöhnte* (被宠坏的) *Mao Mao* Antworten Sie.

Beispiel:

   Mao Mao Mutti, bring meinen Freunden die Getränke!

   Mutter O.K. Ich bringe sie ihnen.

1) Mao Mao: Zeig meinen Gästen unser Haus!

   Mutter:

2) Mao Mao: Kauf Klaus den Super BigMac bei Mc Donald's.

   Mutter:

3) Mao Mao: Bring Helga die Eistorte aus unserem Kühlschrank.

   Mutter:

4) Mao Mao: Hol uns den Kuchen vom Peace Hotel.

   Mutter:

5) Mao Mao: Schenke mir das blaue „Mountain Bike".
   Mutter:

Klicki: So ein kleiner Kaise...

6) Mao Mao: Gib mir sofort den Fahrradschlüssel.
   Mutter:

7) Mao Mao: Hol mir die Sterne vom Himmel (天空)!
   Mutter:

GÜ 11 Was sagt Oma? Formen Sie um.

Beispiel:

Arbeite nicht so viel!

Arbeiten Sie nicht so viel!

Der Chef sagt zu Tim: Oma sagt zu Tim:

1) Fragen Sie mal Herrn Müller!   a. _____
2) Bringen Sie mir die Bücher!   b. _____
3) Fahren Sie mal hin!   c. _____
4) Machen Sie mal eine Pause!   d. _____
5) Trinken Sie nicht so viel Bier!   e. _____

GÜ 12 Die Oma ist krank. Bilden Sie Sätze.

Beispiel:

Deine Oma schläft. (nicht so laut sprechen)

Sprich nicht so laut! Deine Oma schläft.

1) Es ist sehr kalt. (die Tür zumachen)

2) Oma möchte Wasser trinken. (Wasser bringen)

3) Oma möchte Tabletten nehmen. (Tabletten kaufen)

4) Oma möchte mit dem Arzt sprechen. (den Arzt holen)

GÜ 13 Im Deutschunterricht in der Schule. Bilden Sie Sätze.

Beispiel: die Bücher aufmachen   Macht die Bücher auf!

1. den Text laut vorlesen   _____
2. die neuen Sätze schreiben   _____
3. die Hörübung hören   _____
4. keine Angst vor der Prüfung haben   _____

081

Wünsche äußern
表达愿望

Redemittel

- Was möchten Sie?
- Was hätten Sie gern?
- Was möchten Sie gern (essen und trinken)?
- Wie wäre es mit ...?

- Ich möchte gern ...
- Wir hätten gern ...
- Ich möchte ... (bestellen)
- (Ich nehme) lieber ...

- Guten Appetit!
- Gleichfalls!
- Zum Wohl!
- Prost!

Bitte nicht vergessen.

IÜ 1 *Gerichte bestellen* Bitte wählen Sie.

Beispiel: Ⓐ Ich möchte gern Schweinebraten. Und du?

Ⓑ Ich hätte gern ...

Schweinebraten	Schnitzel	Rindersteak	Salat
Zwiebelsuppe	Fisch	Nudeln	Reis

IÜ 2 Alkohol oder Getränke? Bitte wählen Sie.

Beispiel: Ⓐ Was möchten Sie gern trinken? Bier oder Wein?

Ⓑ Lieber Wein.

Bier	Wein	Apfelsaft	Cola
Orangensaft	Sprite	Kaffee	Tee

IÜ 3 *Höflichkeitsfloskeln* Antworten Sie.

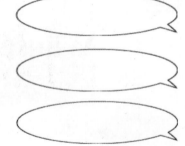

Guten Appetit!

Zum Wohl!

Prost!

Im Café

HÜ 1 Richtig oder falsch? Kreuzen Sie an.

		R	F
1)	Xiaoming möchte einen Cappuccino trinken.	●	●
2)	Thomas möchte lieber einen Tee mit Milch.	●	●
3)	Xiaoming und Thomas nehmen beide Schwarzwälder Kirschtorte.	●	●
4)	Die Schwarzwälder Kirschtorte schmeckt Xiaoming gut.	●	●
5)	Xiaoming bezahlt 5 Euro 50 und Thomas 5 Euro 30.	●	●

🎧 HÜ 2 **Beantworten Sie die Fragen zum Hörtext.**
082

1) Warum möchte Thomas den Cappuccino nicht nehmen?

2) Was empfiehlt der Kellner als Kuchen?

3) Warum möchte Thomas die Schwarzwälder Kirschtorte nicht nehmen?

4) Wie viel kostet es für Xiaoming? Und wie viel bezahlt er?

Essen in Deutschland

Das Essen in Deutschland ist sehr vielfältig. Es gibt verschiedene regionale Küchen mit unterschiedlichen Spezialitäten. Im Norden isst man z. B. oft Gerichte mit frischem Fisch. In München und Bayern ist die Weißwurst sehr beliebt, während man in Schwaben Käsespätzle und Maultaschen

5 besonders gerne isst. Thüringen ist für seine Rostbratwurst bekannt. Berühmt ist Deutschland für seine vielen Brotsorten aus Weizen und Roggen und für verschiedene Käse- und Wurstspezialitäten.

In Deutschland gibt es auch internationale Küchen. So findet man in fast allen Städten italienische, griechische, türkische, spanische und chinesische

10 Restaurants.

Überall gibt es außerdem Schnellimbissbuden und Snackbars. So kann man im Stehen schnell eine Bratwurst mit Ketchup, ein belegtes Brötchen, eine kleine

Pizza oder einen Döner Kebab[1] essen. So ein Schnellimbiss ist auch ziemlich preiswert, das Essen kostet dort nur 2 bis 3 Euro. Bei den Jugendlichen ist Fast Food von Mc Donald's oder Burger King[2] sehr beliebt. Man isst dort gerne einen Hamburger oder Cheeseburger mit Pommes Frites und trinkt dazu eine Cola.

Die Essgewohnheiten sind sehr verschieden. So trinken manche Leute zum Frühstück nur eine Tasse Tee oder Kaffee, dazu isst man Müsli oder Obst, andere mögen lieber Brot oder Brötchen mit Käse, Wurst, Marmelade oder Honig. Zum Mittag essen viele in der Kantine oder in der Cafeteria. Am Abend isst man manchmal warm, manchmal aber nur kalt. Ab und zu[3] geht man zum Abendessen ins Restaurant, aber das Essen dort ist recht teuer.

15

20

Hilfe zum Verstehen

1. Döner Kebab: 德国土耳其小吃店的快餐，类似汉堡包
2. Burger King: 一家美国快餐连锁店
3. ab und zu: 有时

LÜ 1　Fragen zum Lesexext. Antworten Sie.

1) Welche Spezialitäten gibt es in Deutschland?
2) Welche internationalen Restaurants gibt es in Deutschland?
3) Welches Essen gibt es in der Schnellimbissbude?
4) Was kostet das Essen in der Schnellimbissbude?
5) Was isst man oft bei Mc Donald's?
6) Wie sind die Essgewohnheiten in Deutschland? ·

LÜ 2　Wollen Sie mehr über das Essen in Deutschland wissen, dann klicken Sie auf

http://www.germanplaces.com/de.
http://www.sprachcaffe-deutschland.com.
http://www.essen-und-trinken.de.

LÜ 3　Wie ist das Essen in China? (Recherchieren Sie im Internet und berichten Sie in der Klasse)

http://www.China9.de
oder *http://www.meishichina.com*

LÜ 4　Was essen und trinken Sie gern? Sprechen Sie in der Gruppe.

I. Modalverben: „mögen" und „möchte" (情态动词 mögen 和 möchte)

1 Konjugation

人称 MV	mögen	möchte	人称 MV	mögen	möchte
ich	mag	möchte	wir	mögen	möchten
du	magst	möchtest	ihr	mögt	möchtet
er/sie/es	mag	möchte	sie	mögen	möchten
Sie	mögen	möchten	Sie	mögen	möchten

注：möchte 是 mögen 的虚拟式过去时形式，用以委婉地表达愿望。

2 Gebrauch

A. 作助动词   (…+) MV + … + Inf + (V)

复合谓语（框形结构）	
möchte（想）	mögen（想，要）
Ich möchte Deutsch lernen.	Er mag keinen Fisch essen.
Er möchte heute zu Hause bleiben.	

B. 作独立动词

möchte（想要）	mögen（喜欢）
Was möchten Sie?	Die Schüler mögen ihre Lehrerin sehr.
Ich möchte eine Tasse Kaffee.	Er mag keinen Rotwein（红酒）.
Ich möchte jetzt nach Hause.	Magst du die Musik von Strauß（斯特劳斯）?

II. Dativ（第三格）

1 **Artikel, Substantiv und Possessivpronomen im Dativ**（冠词，名词和物主代词的第三格）

1) Deklination 中文变格

数 \ 性 格		m	f	n	疑问代词的变格	
Sing.	N	der ein Tisch mein	die eine Tante meine	das ein Kind mein	格	疑问代词
	D	de**m** ein**em** Tisch mein**em**	de**r** ein**er** Tante mein**er**	de**m** ein**em** Kind mein**em**	N	wer
Pl.	N	die -- Tische meine	die -- Tanten meine	die -- Kinder meine	A	wen
	D	de**n** -- Tisch**en** mein**en**	de**n** -- Tant**en** mein**en**	de**n** -- Kinder**n** mein**en**	D	**wem**

注：弱变化名词第三格加 -n/-en。复数不是以 -n 结尾的名词复数第三格时应加 -n（复数词尾为 -s 的外来词除外）。

2) Gebrauch 用法

A. 作间接宾语

a. ┌─────────────────┐
   │ jm. etw. (A) V │
   └─────────────────┘

Der Lehrer erklärt dem Schüler den Text.

b. ┌─────────────────┐
   │ jm./etw. (D) Vi │
   └─────────────────┘

Hans hilft oft seinem Freund.

Ich danke meinem Lehrer für seine Erklärung.

B. 与支配第三格的介词构成介词结构

Peter geht zum Unterricht.

Monika wohnt bei ihren Eltern.

2 **Personalpronomen im Dativ**（人称代词第三格）

数 \ 人称 \ 格		1.	2.	3.			尊称
Sing.	N	ich	du	er	sie	es	Sie
	D	*mir*	*dir*	*ihm*	*ihr*	*ihm*	*Ihnen*
	A	mich	dich	ihn	sie	es	Sie
Pl.	N	wir	ihr	sie			Sie
	D	*uns*	*euch*	*ihnen*			*Ihnen*
	A	uns	euch	sie			Sie

Beispiele: – Wie geht es Ihnen?

– Danke! Mir geht es gut.

Peter schreibt seinen Eltern einen Brief.

III. Wortstellung von Dativ und Akkusativ（第三格和第四格的语序）

Beispiele	Wortstellung	
Monika kauft ihrem Bruder ein Buch.	名词（D）+ 名词（A）	（先三后四）
Monika kauft ihm ein Buch. Monika kauft es ihrem Bruder.	代词 + 名词	（先代后名）
Monika kauft es ihm.	代词（A）+ 代词（D）	（先四后三）

IV. Imperativ mit „du" und „ihr"（针对 du 和 ihr 的命令式）

du: 1) 规则动词：词干 +(e)! 2) 不规则动词 { 变音：词干(不变音) + (e)! 换音：词干(换音)! }

Lern(e) fleißig!   Fahr(e) nicht so schnell!

Warte bitte auf mich!   Sprich bitte langsam!

3) 动词 sein: Sei …!   4) 动词 haben: Hab …!

Sei doch ruhig!   Hab keine Angst!

ihr: ihr 的（直陈式现在时）变位形式!

Lernt fleißig!   Fahrt nicht so schnell!

Wartet bitte auf mich!   Sprecht bitte langsam!

注：命令式的句末也可不用惊叹号，而用句号。

IV. Imperativ mit „du" und „ihr" （针对 du 和 ihr 命令式）

1) 规则动词：词干 +(e)!	1) 不规则动词：变音: 词干（不变音）+ (e)! 换音：词干（换音）!	3) 动词 sein：Sei ... !	4) 动词 haben：Hab ... !
Lern(e) fleißig! Warte bitte auf mich!	Fahr(e) nicht so schnell! Sprich bitte langsam!	Sei doch ruhig!	Hab keine Angst!

ihr:	动词的形式等于 ihr 的直陈式现在时变位形式！		
	Lernt fleißig! Wartet bitte auf mich!	Fahrt nicht so schnell! Sprecht bitte langsam!	Seid leise!

注：也可不用惊叹号

🎧 **Einführung**
083

 大多数情况

*der	Käse meist o. Pl.	奶酪	Käse ist aus Milch.
*das	Bier -e	啤酒	Trinken Sie Bier?
*die	Wurst ⸚e	香肠	Isst du gerne Würste?
*der	Reis o. Pl.	米饭	Wir essen gern Reis.
*die	Kartoffel -n	土豆，马铃薯	Li Ming isst nicht gern Kartoffeln.
*die	Milch o. Pl.	奶，牛奶	Trinkst du täglich Milch?
*das	Brot -e	面包	Das Brot ist alt.
*das	Brötchen -	小面包	Ich esse lieber Brötchen.
*das	Fleisch o. Pl.	肉	Essen Sie bitte nicht zu viel Fleisch.
*der	Fisch -e	鱼	Rolli hat einen Fisch und isst ihn aber nicht.
*das	Ei -er	鸡蛋	Woher kommt das Ei?

der Honig = honey
die Marmolade : jam
121

🎧 **Text**
084

*das	Restaurant -s	餐厅，餐馆	Das ist ein China-Restaurant.

	vor	präp	在……前面	Li Xiaoming steht vor dem Restaurant.
*die	Speisekarte -n		菜单	Er macht die Speisekarte auf.
*	hinein/schauen 可分词		向里看，向里瞧	Schauen wir mal in die Speisekarte hinein.
*das	Schnitzel -		肉排，煎猪排	Ich esse ein Schnitzel.
*	Pommes Frites Pl.		油炸土豆条	Pommes Frites sind nicht so gesund.
*der	Schweinebraten -		煎猪肉	Er isst einen Schweinebraten.
*das	Klößchen -		小丸子	Es gibt zu Mittag Klößchen.
*das	Rindersteak -s /...steːk/		牛排	Sie isst ein Rindersteak.
*	Bratkartoffeln		油煎土豆	Xiaoming bestellt Bratkartoffeln.
*der	Salat -e		色拉，生菜	Es gibt Obstsalat, Kartoffelsalat usw.
*die	Zwiebel -n		洋葱	Zwiebeln sind gesund.
*die	Suppe -n		汤	Man isst eine Suppe und trinkt ein Bier.
*die	Vorspeise -n		头盘，冷盘	Ich möchte eine Suppe als Vorspeise.
*	bestellen		点菜；订购	Li Xiaoming bestellt Schnitzel mit Kartoffeln.
*der	Kellner - (die Kellnerin -nen)		（餐厅）服务员；女服务员	Der Kellner ist sehr nett.
*der	Saft ⸚e		汁，果汁，菜汁	Li bestellt einen Apfelsaft noch.
*	einfach	Adv.	干脆，简直，	Trink einfach ein Bier!
		Adj.	根本，简单	
*	wünschen		想要；祝愿	Was wünschen Sie sonst noch?
*	sonst	Adv.	此外，另外	
*der	Appetit o. Pl.		食欲，胃口	Guten Appetit!
*	Prost	Int.	干杯	Prost!
*	gleichfalls	Adv.	同样地（用于应答对方的祝贺语）	Gleichfalls!
*	schmecken (+D)		有滋味，有（好）味道	Mir schmeckt das Rindersteak auch sehr gut.
*	lecker	Adj.	好吃的，美味的可口的	Das Schnitzel mit Kartoffeln ist lecker.
*	später	Adv.	以后，后来	Bis später!
*	probieren		尝味，尝试，试穿	Probier mal!
*	öfter	Adv.	有时，常常	Ich komme öfter hierher.
*	hierherkommen		到这儿来	
*die	Atmosphäre o. Pl.		气氛，环境，大气（层）	Die Atmosphäre in dem Restaurant ist sehr gut.

*	gefallen (+D) (gefällt)		使……喜欢	Das Restaurant hier gefällt mir sehr.
*	nämlich	Adv.	因为，即，也就是	Er kommt heute nicht mehr, er ist nämlich krank.
*der	Nachtisch o. Pl.		饭后甜点	Als Nachtisch bestelle ich ein Eis.
*	ruhig	Adv.	尽管，只管，放心地	Bestell dir ruhig eins!
		Adj.	安静的，清静的	Hier ist es ziemlich ruhig.
*	zahlen		付钱	Zahlen, bitte!
*	getrennt	Adj.	分开的	(Zahlen Sie) getrennt oder zusammen?
*	machen		总计；干，做	Das macht zusammen 28,50 Euro.
*der	Euro		欧元	Hier sind 30 Euro. Stimmt so.
*	danken (+D)		感谢	Ich danke dir für das Essen.

Übungen 085

*das	Getränk -e		饮料	Haben wir noch Getränke zu Hause?
*das	Hauptgericht -e		正餐，主食	Nach der Vorspeise kommt das Hauptgericht.
die	Sprite		雪碧	Wir haben Sprite, Fanta und Tee. Was möchtet ihr denn?
die	Fanta		芬达	
*der	Tee		茶，茶叶	
*der	Wein -e		葡萄酒	Einen Wein bitte!
der	Pudding -e/s		布丁（甜点心）	Der Pudding hier schmeckt prima.
*	sofort	Adv.	立即，马上	Kommt sofort.
*der	Cent [sɛnt]	o. Pl.	欧分	Wie viel Cent sind ein Euro?
*die	Blume -n		花，花朵	Die Blumen hier sind sehr schön.
*die	Kamera -s		摄影机，照相机	Die Kamera ist aus Japan.
*	helfen (hilft)+D		帮助	Wem hilft unser Lehrer?
*	gehören+D		属于	Wem gehört die Schultasche.
*die	Flasche -n		瓶，罐	Möchten Sie eine oder zwei Flaschen Wein?
*der	Spiegel -		镜子	Du bist im Spiegel groß.
*die	Tasse -n		（有柄的）瓷杯子	Ich möchte einen Kuchen und dazu eine Tasse Kaffee.
*der	Kühlschrank ⸚e		冰箱	Der Kühlschrank steht in der Küche.
*der	Kuchen -		糕点，糕饼	Der Kuchen schmeckt mir sehr.
*der	Schlüssel -		钥匙；答案	Ich finde meinen Schlüssel nicht mehr.
*der	Stern -e		星星；明星	Die Sterne hängen am Himmel.

*der	Himmel o. Pl.		天空	Der Himmel ist blau.
*	kalt	Adj.	冷的	Das Essen ist kalt.
*	zu/machen		关闭，封闭	Mach bitte die Tür zu!
*	kaufen		买，购买	Was möchten Sie denn kaufen?
*der	Arzt ¨e		医生，大夫	Wohin gehst du denn? Zum Arzt.

085 **Intention**

*	vergessen (vergisst)	忘掉，忘记	Bitte vergessen Sie das nicht.
*die	Orange -n	橙子	Ich möchte zwei Kilo Orangen.

085 **Hörverstehen**

*der	Cappuccino /kapuˈtʃiːno/ -s	卡布奇诺咖啡	Ich hätte gern einen Cappuccino.
*die	Zitrone -n	柠檬	Ich hätte gern einen Tee mit Zitrone.
*	empfehlen (empfiehlt) (+D) +A	推荐	Was empfehlen Sie uns?
*	kosten	花费，值	Wie viel kostet das?

086 **Leseverstehen**

#	vielfältig	Adj.	多样的	Das Essen in China ist vielfältig.
*	verschieden	Adj.	不一样的，另一种的，不同的	Es gibt verschiedene regionale Küchen mit unterschiedlichen Spezialitäten.
*	regional	Adj.	地方性的，区域性的	
*die	Küche -n		菜肴，饭菜；烹调术；厨房	Die Küche ist groß und modern.
*	unterschiedlich	Adj.	有区别的，不同的	Die Spezialitäten sind unterschiedlich.
*die	Spezialität -en		特色菜，特产	Jautse (Jiaozi) ist eine Spezialität in China.
*der	Norden o. Pl.		北方	Im Norden isst man oft Gerichte mit frischem Fisch.
*	frisch	Adj.	新鲜的	Ist der Saft frisch?

Eü 1 Was sehen Sie hier?

Eü 2 Wie viele Zimmer hat die Wohnung?

Eü 3 Welche Zimmer gibt's hier?

Text

Wohnen in Deutschland

🎧 Teil 1 Wohnungssuche
087

Wang Hongliang aus Beijing arbeitet als Informatiker bei der Firma Bosch in Hamburg.

Seit Wochen sucht er eine Wohnung. Er kauft Zeitungen und sucht auch im Internet Wohnungsanzeigen. Endlich findet er etwas. Sofort ruft er die Vermieterin an.

5	Frau Schmidt:	Schmidt.
	Wang Hongliang:	Guten Tag, Frau Schmidt. Darf ich mich vorstellen? Mein Name ist Hongliang Wang. Ihre Telefonnummer habe ich von Ihrer Wohnungsanzeige aus dem Internet. Ich muss dringend eine Wohnung mieten.
10	Frau Schmidt:	Ah, guten Tag, Herr Wang. Möchten Sie die Wohnung besichtigen?
	Wang Hongliang:	Ja, gerne. Wann darf ich kommen?
	Frau Schmidt:	Jetzt bin ich noch zu Hause. Aber ich muss bald weg. Kommen Sie gleich?
15	Wang Hongliang:	Kein Problem. Ich fahre sofort zu Ihnen.
	Frau Schmidt:	Gut. Dann bis gleich.
	Wang Hongliang:	Bis gleich.
		...
	Wang Hongliang:	Guten Tag. Ich bin Hongliang Wang.
20		Bin ich richtig bei Schmidts[1]?
	Frau Schmidt:	Ja, richtig. Guten Tag, Herr Wang. Kommen Sie herein. Ich zeige Ihnen die Wohnung.
	Wang Hongliang:	Soll ich die Schuhe ausziehen?
	Frau Schmidt:	Nein, nicht nötig.
25	Wang Hongliang:	Danke.

Nun besichtigt Wang Hongliang die Wohnung.

In der Wohnung gibt es ein Wohnzimmer, ein Schlafzimmer, ein Arbeitszimmer, ein Bad, eine Küche und einen Flur. Das Schlafzimmer und die Küche sind renoviert, aber ziemlich klein. Das Bad ist zwar nicht groß, aber modern. Das Wohnzimmer ist hell, denn es gibt da zwei Fenster und einen Balkon nach Süden. In dem Arbeitszimmer gibt
5 es ein Telefon und einen Internetanschluss. Vor dem Haus ist die Lindbergstraße und hinter dem Haus ist ein Parkplatz.

Frau Schmidt:	Gefällt Ihnen die Wohnung?
Wang Hongliang:	Ja. Wie hoch ist die Miete im Monat?
Frau Schmidt:	380 Euro, warm.
10 Wang Hongliang:	380 Euro ... Gut, ich nehme sie.
Frau Schmidt:	Herr Wang, Sie wissen ja, mein Mann und ich wohnen in der Nachbarwohnung. Sie müssen die Hausordnung einhalten. Sie dürfen keine Discomusik oder so hören und spielen. Sie dürfen auch keine Haustiere halten.
15 Wang Hongliang:	Ja, natürlich. Das weiß ich.

088 **Teil 2 Umzug**

Fang Jin aus Hangzhou studiert an der TU Berlin Informatik und zieht heute ins Studentenwohnheim um.

Er öffnet die Tür und betrachtet das Zimmer. Am Fenster gibt es einen Schreibtisch. Vor dem Schreibtisch steht ein Drehstuhl und über dem Schreibtisch hängt eine
20 Lampe. Gegenüber dem Schreibtisch steht ein Bett. Neben dem Bett ist ein Nachttisch. Auf dem Nachttisch steht eine Tischlampe. Über dem Bett hängt ein Bild an der Wand. Neben dem Schreibtisch in der Ecke steht noch ein Regal.

Jetzt bringt er seine Sachen in Ordnung[2]. Er stellt seinen Laptop auf den Schreibtisch und steckt den Stecker in die Steckdose. Ein paar Bücher stellt er
25 ins Regal. Dann macht er seinen Koffer auf, hängt seine Kleidung in den Schrank und stellt seinen Wecker auf den Nachttisch. Seinen Koffer legt er dann unter das Bett.
Nun ist alles in Ordnung.

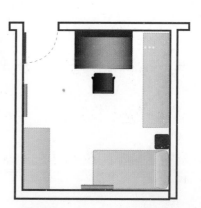

Hilfe zum Verstehen

1. Bin ich richtig bei Schmidts? 这里是施密特家吗？
2. etw. in Ordnung bringen 把……整理好 / 使……保持整齐

⊗ **TÜ 1 Steht das im Text? Kreuzen Sie an.**

		Ja	Nein
1	Wang Hongliang sucht seit Tagen eine Wohnung.	●	●
2	Dafür kauft er keine Zeitung, sondern surft im Internet.	●	●
3	Er findet eine Wohnungsanzeige gut und ruft an.	●	●
4	Er soll bei Frau Schmidt seine Schuhe ausziehen.	●	●
5	Wang Hongliang gefällt die Wohnung.	●	●
6	Wang Hongliang findet die Miete zu hoch.	●	●
7	Wang Hongliang soll die Hausordnung einhalten.	●	●

TÜ 2 Was macht Wang Hongliang? Assoziieren （联想） Sie.

kaufen

eine Wohnung

TÜ 3 Wie heißen die Zimmer in der Wohnung? Tragen Sie ein.

das
Schlafzimmer

eine
Wohnung

TÜ 4 Was gibt es in Ihrem Zimmer? Tragen Sie ein.

einen
Schreibtisch

mein Zimmer

TÜ 5 Wie ist Ihr Zimmer? Tragen Sie ein.

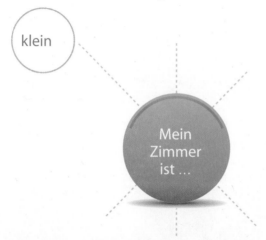

klein

Mein
Zimmer
ist …

TÜ 6 *Wohnungsanzeige* Rufen Sie an.

Fangen Sie so an: Das Telefon klingelt ...

A Schmidt.

B Guten Tag, Herr Schmidt. Darf ich mich vorstellen?
Ich heiße _____. Ich suche gerade _____.
Ihre Telefonnummer habe ich von Ihrer Wohnungsanzeige.

ein Zimmer in einer WG,
eine 1-Zimmer-Wohnung,
eine 2-Zimmer-Wohnung,
eine Wohnung im Reihenhaus

GÜ 1 Die Vermieterin sagt. Formen Sie um.

Beispiel:

Frau Schmidt sagt: „Fahren Sie bitte schnell zu mir."

Frau Schmidt sagt, ich soll schnell zu ihr fahren.

1) Frau Schmidt sagt: „Nehmen Sie bitte die U 2."

2) Frau Schmidt sagt: „Kommen Sie mit."

3) Frau Schmidt sagt: „Hören Sie bitte keine Discomusik."

4) Frau Schmidt sagt: „Lesen Sie bitte die Hausordnung genau."

GÜ 2 *So viele Verbote* （太多的禁令） Formen Sie um.

Beispiel:

Der Arzt sagt: „Sie dürfen nicht rauchen."

Der Arzt sagt, ich darf nicht rauchen.

1) Der Vater sagt: „Spiel nicht auf der Straße Fußball!".

2) Die Mutter sagt: „Sitz nicht immer vor dem Fernseher!"

Ich habe „Verbote" gemietet.

3) Der Opa sagt: „Tanz nicht in meinem Zimmer!"

4) Die Oma sagt: „Mach bitte keinen Lärm!"

GÜ 3 Was muss man da machen? Bilden Sie Sätze.

Beispiel:

Professor Naumann hat einen Termin. (gehen müssen)

Professor Naumann hat einen Termin. Er muss gehen.

1) Wang Hongliang findet seine Geldtasche nicht. (die Polizei anrufen – sofort)

2) Herr Schwach ist wieder krank. (im Bett bleiben)

3) Melanie ist Sekretärin. (lange sitzen, viel tippen)

4) Wang Hongliang liest seine Telefonrechnung. (100 Euro bezahlen)

GÜ 4 Was passt zusammen? Verbinden Sie.

1   Im Kino: A   Soll ich die Schuhe ausziehen?

2   Vor dem Autofahren: B   Ich muss gehen, sonst komme ich zu spät.

3   Am Wochenende: C   Man darf hier nicht rauchen.

4   Vorschlag vom Arzt: D   Ich soll im Bett bleiben.

5   Vor dem Termin: E   Man darf keinen Alkohol trinken.

6   Frage an Frau Schmidt: F   Da muss man nicht arbeiten.

GÜ 5 „sollen", „dürfen" oder „müssen"（是 "要"、"可以" 还是 "必须"？） Ergänzen Sie.

1) Meine Schwester geht oft in die Disko. Aber ich *darf* noch nicht. Meine Mutter sagt, ich *soll* noch ein Jahr warten.

2) Meine Eltern gehen ins Kino. Ich möchte nicht allein sein und frage: „_____ ich mitkommen?"

3) Ich habe morgen Unterricht. Ich _____ abends um acht Uhr ins Bett gehen. Aber meine Eltern _____ nicht so früh ins Bett gehen.

4) Mein Bruder möchte immer spielen. Aber meine Mutter sagt, er _____ zuerst seine Hausaufgaben fertig machen.

GÜ 6 *Symbole* Schreiben Sie zu den Bildern Sätze.

Beispiel: *nicht rauchen*

Hier darf man nicht rauchen.

1) _____

2) _____

3) _____

4) _____

5) _____

6) _____

7) _____

GÜ 7 *Präpositionen mit Dativ* Was passt zusammen?

1 Ich lerne   A zur Schule.

2 Herr Schmidt kommt   B Eben von der Uni.

3 Wann möchtest du   C mit der Bahn.

4 Die Frau arbeitet   D seit drei Wochen Deutsch.

5 Maria fährt gern   E bei Siemens.

6 Komm gleich   F nach München?

7 Um acht Uhr geht er   G aus Deutschland.

8 Wo kommst du her?   H zu mir.

GÜ 8 *Alles schon da* Ergänzen Sie.

Beispiel: A *Stellen* Sie den Computer auf den Tisch.

      B Er *steht* schon auf dem Tisch.

1) _____ Sie das Bild an die Wand.

    Es _____ schon an der Wand.

2) _____ Sie die Zeitungen auf den Tisch.

    Sie _____ schon auf dem Tisch.

3) _____ Sie den Stecker in die Steckdose.

    Er _____ schon in der Steckdose.

4) _____ Sie die Vase ans Fenster.

    Sie _____ schon am Fenster.

liegen
legen
stecken
hängen
stellen
stehen

GÜ 9 **Wang Hongliang bringt sein Zimmer in Ordnung. Bilden Sie Dialoge.**

Beispiel: A Wohin stellt Wang Hongliang die Schuhe?

      B Er *stellt* die Schuhe *unter das* Bett.

Ⓐ Wo sind die Schuhe jetzt?

Ⓑ Sie sind *unter dem* Bett.

_____

_____

_____

_____

erlauben und verbieten
允许和禁止

Redemittel

- Sie dürfen das (nicht) machen/tun.
- Du darfst (kein[e/en]) ...
- Man darf hier (nicht/kein-) ...
- Bitte machen Sie das (nicht).
- Mach das bitte (nicht).

- Es ist (un)möglich.
- Kein Problem.
- Ja, warum denn nicht?
- Nein, es geht leider nicht.
- Es ist erlaubt. (被允许的，可以的)
- Es ist verboten. (不被允许的，可以的)

IÜ 1 **Erlauben Sie. Vervollständigen Sie den Dialog.**

Beispiel: Ⓐ Herr Professor, darf ich einen Vorschlag machen?

Ⓑ Ja. Sie dürfen immer Vorschläge machen.

1) Ⓐ Ich verstehe den Text nicht. Darf ich Fragen stellen?

Ⓑ Ja, _____ .

2) Ⓐ Entschuldigung! Muss man die Zeitung kaufen?

Ⓑ Nein, _____ .

3) **A** Hallo, Tim! Ich komme gleich an. Darf man da parken?

B Ja, _____ .

4) **A** Vati, darf ich auch meine Freundin einladen?

B Ja, _____ .

... bitte fragen Sie.

... Man darf das ruhig mitnehmen.

... vor meinem Haus darf man immer parken.

... warum denn nicht? Mach das.

... Sie dürfen immer Fragen stellen.

IÜ 2 Verbieten Sie. Machen Sie Dialoge.

Beispiel: **A** Herr Doktor, mir geht es besser. Darf ich in die Firma gehen?

B Nein. Sie dürfen noch nicht arbeiten.

A Warum denn nicht?

B Sie sind noch sehr schwach.

1) **A** Frau Schmidt, heute habe ich Besuch. Darf ich Diskomusik hören?

B Nein. _____ .

A Warum denn nicht?

B Das ist Lärm. Und _____ .

2) **A** Frau Schmidt, darf ich heute Abend eine Party machen?

B Nein. _____ .

A Warum denn nicht?

B _____ .

3) **A** Oma, darf ich den Shaoxing-Wein probieren?

B Nein. _____ .

Ⓐ Warum denn nicht?

Ⓑ _____ .

4) Ⓐ Mutti, darf ich auch mal rauchen?

Ⓑ Nein. _____ .

Ⓐ Warum denn nicht?

Ⓑ _____ .

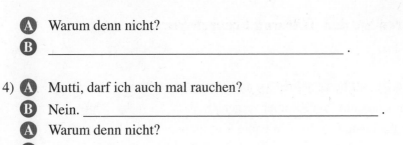

Sie dürfen keinen Lärm machen.

Rauchen ist hier verboten.

Es ist hier im Haus unmöglich.

Es ist gegen die Hausordnung.

Die Kinder dürfen keinen Alkohol trinken.

Du darfst nicht rauchen.

Es geht leider nicht.

Das ist nicht gesund.

090

Besuch bei Fang Jin

Hilfe zum Verstehen

1. Worum geht es denn? 有什么事吗？
2. zu Fuß 步行（固定用法）

HÜ 1 Hören Sie den Text und kreuzen Sie an.

090

		Ja	Nein
1	Fang Jin ruft heute seinen Freund Timan. Er möchte ihm sein Zimmer zeigen.	●	●
2	Tim hat heute frei. Er geht heute Vormittag zu Fang Jin.	●	●
3	Fang Jin sagt, Tim soll lieber mit der U 2 zu ihm fahren.	●	●
4	Fang Jin wohnt in der Müllerstraße 4, Zimmer 550.	●	●

HÜ 2 Hören Sie den Text noch einmal und wählen Sie eine richtige Lösung aus.

090

1) Im Zimmer gibt es _____ .

☐ A. eine Heizung, ein Telefon, einen Internetanschluss und einen Laptop.

☐ B. ein Telefon, einen Computer, einen Fernseher und Internet.

☐ C. einen Fernseher, ein Telefon, einen Internetanschluss und eine Heizung.

☐ D. Internet, ein Telefon, einen Computer und ein Faxgerät.

2) Wem gehören die Möbel?

☐ A. dem Haus

☐ B. Fang Jin

☐ C. dem Studentenwohnheim

☐ D. der Universität

3) Sein Zimmer kostet im Monat _____ .

☐ A. 199 Euro

☐ B. 119 Euro

☐ C. 109 Euro

☐ D. 190 Euro

4) Fang Jin fährt _____ zur Uni.

☐ A. mit der U-Bahn

☐ B. mit dem Auto

☐ C. mit dem Bus

☐ D. mit dem Fahrrad

Darf ich die Wohnung auch besichtigen?

Leseverstehen

Wohnungsanzeigen
aus dem Internet

Wir (ein Pärchen mit einjähriger Tochter) und ein Ingenieur suchen zum 1. März eine nette Mitbewohnerin für unsere 4er WG in der Danckelmannstraße 1.

Das Zimmer ist ca. 35 m² groß und hell. Die Wohnung ist zentral gelegen (5 min zum Stadtzentrum und 10 min bis zum Waldcampus), hat eine große Küche, ein renoviertes Badezimmer und eine Zentralheizung.

Die Miete beträgt ca. 185 € inklusive aller Nebenkosten, Internet & Telefonflat, netten Nachbarn, einem kleinen Innenhof und einem Dachboden.
Außerdem sind noch eine Geschirrspülmaschine und Waschmaschine vorhanden.

Unsere Telefonnummer: 017664100027 und E-Mail-Adresse: ibj362khb@hotmail.com

01.03.2009

1-Zimmer-Wohnung, Friedrichshain, 20 m², Balkon, Küche (Mitbenutzung), Bad mit Dusche (Mitbenutzung), Waschmaschine, Anwohnerparken, Monatsmiete: 350 € inkl. Nebenkosten, 480 € Kaution, frei ab sofort
Schwäger
Abertystr. 97
10249 Berlin
Tel.: 030/4209915156
E-Mail: **Gim22p@allesklar.de**

17.03.2009
Fax.: 033439/8023789
E-Mail: **ibj321khb@freenet.de**

17.03.2009

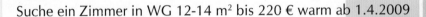

Suche ein Zimmer in WG 12-14 m² bis 220 € warm ab 1.4.2009

Oxana Klimenko
Tel.: 0198/1356744
E-Mail: **oxuna123@hotmail.com**

5

18.02.2009

Ich (24/weiblich) suche ein Zimmer mit Möbeln nah Berlin-Schönefeld Flughafen, bis 250 € (warm), ab 01.03.09.

Yu Zhang
09599 Freiberg
10 Tel.: 0175/9697420
E-Mail: **rainfall999zhy@yahoo.com**

12.02.2009

LÜ 1 Welche Anzeigen sind Wohnungs- und welche sind Suchanzeigen? Markieren Sie.

LÜ 2 Welche Wohnung in den Wohnungsanzeigen gefällt Ihnen? Diskutieren Sie.

Fangen Sie so an: Die Wohnung in der ...straße gefällt mir. Sie hat ...

LÜ 3 Haben Sie noch Interesse, klicken Sie auf

http:// www. wowohnen. de

http://mieten.immonet.de

http://www.immonexus.de

und suchen Sie ein weiteres passendes Angebot für Sie selbst.

Hilfe zum Verstehen

1. zum 1. März 从三月一日起
2. Die Wohnung ist zentral gelegen. 这套住房位于市中心。
3. Die Wohnung beträgt ca. 185 € inklusive aller Nebenkosten. 这套房子的房租包括杂费在内共计 185 欧元。

Grammatik

I. Modalverben „dürfen", „müssen", „sollen" (情态动词 dürfen, müssen, sollen)

1 Konjugation

Pers. \ Mv	dürfen	müssen	sollen
ich	darf	muss	soll
du	darfst	musst	sollst
er/sie/es	darf	muss	soll
wir	dürfen	müssen	sollen
ihr	dürft	müsst	sollt
sie /Sie	dürfen	müssen	sollen

2 Gebrauch

Mv \ Bedt. \ Funkt.	作助动词 (als Hilfsverb)	作独立动词 (als Vollverb)
dürfen 允许，可以	Hier darf man nicht rauchen. Darf ich etwas fragen?	Dürfen wir jetzt ins Kino? Die Kinder dürfen das nicht.
müssen 必须，不得不	Ich muss jetzt „zur Schule" fahren. Peter muss im Bett bleiben, denn er ist krank.	Ich muss jetzt zur Vorlesung. Der Brief muss heute noch zur Post (邮局).
sollen 应该，让，要	Die Schüler sollen fleißig lernen. Sag Peter, er soll sofort zum Lehrer gehen.	Peter soll sofort zum Lehrer. Der Tisch soll ans Fenster.

II. Präpositionen mit dem Dativ（支配第三格的介词）

Präp.	Bedeutung	Beispiele
aus	a. 出自……，来自…… b. 从……里面出来	Tim kommt aus München. Felix läuft aus dem Haus.
bei	a. 在……处 b. 在……时	Tim wohnt bei seinen Eltern. Er arbeitet bei Siemens. Beim Lesen brauche ich eine Brille（眼镜）.
mit	a.（表示工具）用…… b. 同……，与……	Tim fährt mit dem Zug nach Hamburg. Monika schreibt mit einem Computer. Heute Abend gehe ich mit meinem Freund ins Kino.
seit	自……以来	Seit drei Monaten sucht er eine Wohnung.
nach	a. 在……之后 b.（表示方向）到…… 去，朝（方向）	Nach dem Abendessen gehe ich oft spazieren. Morgen fliegen wir nach Deutschland. Sehen Sie bitte nach links!
von	a. 从……来，从……离 开 b.（表示所属关 系）……的	Mein Freund kommt von Berlin. Dieter kommt gerade vom Lehrer/vom Unterricht. Der Apfel fällt vom Baum（树）. Berlin ist die Hauptstadt（首都）von Deutschland.
zu	a. 去某人处 b. 去某处 c. 为了	Morgen geht Fritz zu seinem Onkel. Sabine geht zur Post/zum Unterricht/zur Schule. Zur Übersetzung（翻译）brauche ich ein Wörterbuch （字典）.

III. Präpositionen mit dem Dativ und mit dem Akkusativ（支配第三格和第四格的介词）

D Wo? 在……处	Bedt.	Präp.	Bedt.	A Wohin? 到／去……处
Monika steht **am** Fenster. Das Bild hängt **an der** Wand.	在……旁 （紧挨） ●▭	an	到……旁 （紧挨） →▭	Monika geht **ans** Fenster. Sie hängt das Bild **an die** Wand.

D Wo? 在……处	Bedt.	Präp.	Bedt.	A Wohin? 到／去……处
Dein Buch liegt **auf** dem Tisch.	在……上	auf	到……上	Er legt sein Buch **auf** den Tisch.
Der Garten liegt **hinter** dem Haus.	在……后面	hinter	到……后面去	Peter geht **hinter** das Haus.
Sabine arbeitet **in** der Bibliothek (图书馆).	在……里	in	到……里	Monika geht **in** die Mensa.
Peter sitzt **neben** mir.	在……旁边	neben	到……旁边	Peter setzt sich **neben** mich.
Die Lampe hängt **über** dem Tisch.	在……上方	über	到……上方	Klaus hängt die Lampe **über** den Tisch.
Der Brief liegt **unter** der Zeitung. Meine Schuhe stehen **unter** dem Bett.	a. 在……下面 b. 在……下方	unter	a. 到……下面 b. 到……下方	Er legt den Brief **unter** die Zeitung. Sie stellt meine Schuhe **unter** das Bett.
Tim sitzt **vor** dem Fernseher.	在……前面	vor	到……前面	Tim setzt sich **vor** den Fernseher.
Das Kind sitzt **zwischen** seiner Mutter und seinem Vater.	在……之间	zwischen	到……之间	Das Kind setzt sich **zwischen** seine Mutter und seinen Vater.

Vokabeln

091 **Einführung**

*das	Wohnhaus ⸚er	住宅	
*das	Einfamilienhaus ⸚er	一户住宅	Hier sieht man ein Wohnhaus,
*das	Reihenhaus ⸚er	连排房屋	ein Einfamilienhaus, ein Doppelhaus und eine WG.
*die	Wohngemeinschaft -en	集体住房，合住套房	
*das	Zimmer -	房间	
*das	Wohnzimmer -	起居室，客厅	Die Zimmer sind Wohnzimmer, Schlafzimmer usw.
*das	Schlafzimmer -	卧室，寝室	
*das	Bad ⸚er	浴室	Das Bad ist klein.
#der	Balkon -e/s	阳台	Der Balkon geht nach Süden.
#der	Flur -e	走廊，过道	Die Katze sitzt im Flur.

092 **Text**

*die	Suche -n		寻找	Der Informatiker sucht eine Wohnung.
*der	Informatiker -		电脑工程师	
*die	Firma ...men		公司	Ich arbeite bei Firma Borsch.
*	seit	Präp.	自……以来	Seit Wochen sucht er eine Wohnung.
*die	Anzeige -n		广告，告示	Lesen Sie die Anzeigen?
#der	Vermieter - (die Vermieterin -nen)		出租者；女出租者	Er ist Vermieter.
#	dringend		迫切的	Er möchte dringend eine Wohnung mieten.
*	mieten		租用，租借，租贷	Er möchte eine Wohnung mieten.
*	besichtigen		参观	Er besichtigt eine Mietwohnung.

*	weg	Adv.	不在，离开	Der Bus ist weg.
*das	Problem -e		问题，困难	Kein Problem!
*	richtig		正确的，对的	Das ist richtig.
*	zeigen		给……看	Sie zeigt ihm die Wohnung.
*	aus/ziehen		脱衣鞋，搬出	Der Sohn zieht aus dem Elternhaus aus.
*	nötig	Adv.	必要的	Er findet die Arbeit zwar nötig, macht sie aber nicht gleich.
#	renoviert	Adj.	修缮过的，装修过的	Das Wohnzimmer ist renoviert und sieht modern und hell aus.
*	ziemlich	Adv.	颇，比较	Er trinkt ziemlich viel.
*	zwar	Adv.	虽然	Das Essen ist zwar kalt, schmeckt aber gut.
*	modern	Adj.	时髦的	Die Möbel sehen modern aus.
*	hell	Adj.	明亮的	Die Wohnung ist ganz hell.
*das	Fenster -		窗户，窗子	Die Fenster gehen alle nach Süden.
*der	Süden o. Pl.		南部，南方，南面	
*der	Internetan-schluss ⸚e		网络接口	In der Mietwohnung gibt es schon Internetanschlüsse.
*	hinter	Präp. +D/A	在……后面；到……后面去	Das Kind steht hinter seiner Mutter.
*der	Parkplatz ⸚e		停车场	Hinter dem Haus liegt ein Parkplatz.
*	hoch	Adj.	高的	Wie hoch ist die Miete?
*die	Miete -n		租金	
*der	Monat -e		月，月份	Ein Jahr hat zwölf Monate.
*	warm		温暖的，热的	Heute ist es warm.
*	nehmen (nimmt)		接受，选购，乘，坐	Ich nehme die Wohnung.
*der	Nachbar -n (die Nach-barin -nen)		邻居	Meine Nachbarn sind alle nett.
#	ein/halten (hält ein)		遵守	Alle Studenten müssen die Hausordnung einhalten.
*das	Haustier -e		宠物	In einer Mietwohnung darf man kein Haustier halten.
*	halten (hält)		养着，饲养；拿着，停着	Das Auto hält vor dem Haus.
*der	Umzug ⸚e		搬家	Umzug kostet Geld.
*	um/ziehen		搬家	Heute zieht er um.
*	betrachten	+A	细看，打量	Er betrachtet das Zimmer genau.
*der	Drehstuhl ⸚e		转椅	Der Drehstuhl steht am Schreibtisch.

*	über	Präp.	在／到……上方	Über dem Tisch hängt eine Lampe.
*	hängen	+A/D	挂着，悬着，吊着	Die Wanduhr hängt gegenüber dem Bild.
*	gegenüber	Präp. +D/A	在……对面，面对	
*	stehen	+D	站立，竖直，竖放着	Das Fahrrad steht vor dem Studentenwohnheim.
*der	Nachttisch -e		床头柜	Der Nachttisch steht an der Wand.
*die	Wand ⸚e		墙壁，墙面	
*die	Ecke -n		角落，隅	Die Katze läuft in die Ecke.
*das	Regal -e		架子，书架	Im Regal stehen viele Bücher.
*die	Sache -n		物品，东西，事情	Er bringt seine Sachen in Ordnung.
*die	Ordnung -en		规则，秩序	In Ordnung!
*der	Laptop -s		手提电脑	Viele Studenten haben Laptops.
*	stecken	+A/D	插入，插着	Die Blumen stecken in der Vase.
#der	Stecker -		插头	Er steckt den Stecker in die Steckdose.
#die	Steckdose -n		插座	
*der	Koffer -		箱子	Er macht seinen Koffer auf und hängt seine Kleidung in den Schrank.
*die	Kleidung		衣服（总称）	Er legt die Kleidung in den Schrank
*der	Schrank ⸚e		柜，橱	Der Schrank ist zwar alt, aber gut.
*	stellen	+A	竖放，直立	Er stellt den Laptop auf den Tisch.
*der	Wecker -		闹钟	Dann stellt er den Wecker auf den Tisch.
*	legen		平放，摆；躺，卧	Er legt die Zeitung auf den Tisch.

🎧 093 **Übungen**

*	surfen		冲浪运动，网络漫游	Er surft gern im Internet.
*	sitzen		坐，坐着	Du sitzt immer vor dem Fernseher.
*der	Lärm o. Pl.		噪音，嘈吵声	Hier darf man keinen Lärm machen.
*	tippen		打字	Sie tippt stundenlang.
*die	Rechnung -en		账单	Er liest die Rechnung.
*der	Arzt ⸚e		医生	Der Arzt sagt, ich soll im Bett liegen.
*der	Termin -e		约期，期限	Der Kaufmann hat viele Termine.
*	warten		等，等待	Er soll noch ein Jahr warten.

*	fertig	Adj.	完成了的，结束了的	Er soll die Hausaufgaben fertig machen.
*	liegen		平放，躺，卧	Er ist krank und liegt im Bett.
*	unter	präp	在 / 到……下面 / 方	Er stellt die Schuhe unter das Bett.
*der	Schuh -e		鞋，鞋子	

Intentionen

*	möglich	Adj.	可能的	Ist das möglich?
*	da	Adv.	（在）那儿	Kann man da parken?
*	parken	Adv.	停放	
*der	Doktor -en		大夫，博士	Herr Doktor, muss ich noch im Bett liegen?
*	schwach	Adj.	弱，虚弱	Ich bin noch schwach.

Hörverstehen

*der	Bus -se		公共汽车	Der Bus hält an der Station.
*die	Station -en		车站	
*	praktisch	Adj.	实用，事实	Das ist sehr praktisch.
*die	Heizung -en		暖气	Die Heizung funktioniert nicht.
*das	Möbel -		家具	Die Möbel sind teuer.
*	teuer	Adj	贵的，昂贵的	
*die	Lage -n		位置，环境	Wie ist die Lage?
*	links	Adv.	左边，左面	Das Auto fährt mal links, mal rechts.
*	rechts	Adv.	右边，右面	
*	vorne	Adv.	前面	Vorne ist eine Straße.
*der	Park -s		公园	Der Park ist sehr groß.

Leseverstehen

#die	Geschirrspül-maschine -n		洗碗机	Die Geschirrspülmaschine arbeitet gut.
*die	Dusche -n		沐浴；沐浴笼头；沐浴室	Die Dusche ist ja modern.

KARSTADT

Einheit 7

KAUFEN UND SCHENKEN

Eü 1 Was ist Karstadt? Was kann man in Karstadt kaufen?

Eü 2 Möchten Sie Karstadt näher kennen lernen?

Klicken Sie auf: *www.karstadt.de*

4. Stock:	Möbel, Lampen, Teppiche, Bilder, Cafeteria, Toilette, Service-Center
3. Stock:	Foto, TV & Video, Musik, Computer, Elektronik
2. Stock:	Sportbekleidung, Sportgeräte, Fahrräder
1. Stock:	Textilien, Damen- und Herrenbekleidung, Toilette
Erdgeschoss:	Information, Lederwaren, Schreibwaren, Zeitungen, Zeitschriften, Bücher, Kosmetik
Untergeschoss:	Haushaltswaren, Haushaltsgeräte

Text

🎧 095 Im Kaufhaus

Wang Hongliang:	Grüß dich[1], Lea.
Lea:	Hallo, Hongliang. Was machst du denn hier?
Wang Hongliang:	Meine Freundin hat bald Geburtstag. Ich suche ein Geschenk für sie.
5 Lea:	Ach so. Was willst du ihr denn schenken?
Wang Hongliang:	Ja, was kann ich ihr bloß schenken? Das weiß ich auch nicht so genau. Hast du eine Idee?
Lea:	Hm ... Wie wär's mit einer Mütze?
10	Sie sind doch gerade in[2]. Die jungen Mädchen tragen alle Mützen.

Wang Hongliang:	Das ist eine gute Idee. Aber wo finde ich Mützen?
Lea:	In der ersten Etage. Komm, wir gehen da mal hin. Ich
15	helfe dir.
Lea:	Guck mal, hier sind Mützen. Wie findest du die Mütze hier?
Wang Hongliang:	Welche denn?
Lea:	Die rote.
20 Wang Hongliang:	Naja, die Farbe gefällt mir nicht besonders. Rot steht meiner Freundin nicht. Was hältst du von der Mütze dort[3]?
Lea	Meinst du die blaue?
Wang Hongliang:	Ja, genau. Und die schwarze gefällt mir auch gut.
25	Was meinst du, welche nehme ich, die blaue oder die schwarze?
Lea:	Zeig mal. Hm, ich glaube, mit der schwarzen Mütze sieht deine Freundin
30	bestimmt cool aus.
Wang Hongliang:	Sieh mal nach, wie viel sie kostet?

> Mützen machen Leute!

Lea:	35 Euro.
Wang Hongliang:	Was? So teuer? Gibt es keine billigeren[4]?
Lea:	Warte, ich suche mal. Nimm die schwarze hier. Sie ist auch schön und kostet nur 15 Euro.
Wang Hongliang:	O.K., die nehme ich. Wo ist denn die Kasse?
Lea:	Da vorne.
...	
Lea:	Wann hat deine Freundin denn Geburtstag?
Wang Hongliang:	Am 22. September. Sie macht eine Party. Komm doch auch!
Lea:	Ja, gerne.
...	
Wangs Freundin:	Hallo, Petra.
Lea:	Herzlichen Glückwunsch zum Geburtstag. Ich wünsche dir alles Gute!

35

40

45

Zum Ge-burts-tag viel Glück! Zum Ge - burts-tag viel Glück!

Zum Ge-burts-tag al - les Gu - te! Zum Ge - burts-tag viel Glück!

Alles Gute zum Geburtstag

Happy Birthday

Hilfe zum Verstehen

1. Grüß dich! 你好！通常在口语中双方互称 du 时使用。
2. in sein 流行
3. Was hältst du von der Mütze dort? 你认为那边那顶怎么样？
4. billiger 为 billig 的比较级，更便宜的

⊗ TÜ 1 Steht das im Text? Kreuzen Sie an.

		Ja	Nein
1)	Wang Hongliang weiß schon ein Geschenk für seine Freundin.	●	●
2)	Lea schlägt eine Mütze vor.	●	●
3)	Wang Hongliang findet die Idee von Lea nicht besonders.	●	●
4)	Lea empfiehlt Wang Hongliang zuerst eine schwarze Mütze.	●	●
5)	Rot findet Wang Hongliang nicht schlecht.	●	●
6)	Blau und Schwarz gefallen Wang Hongliang besser.	●	●
7)	Lea meint, Schwarz steht Wang Hongsliangs Freundin sicher gut.	●	●
8)	Wang Hongliang bezahlt 35 Euro für die Mütze.	●	●

TÜ 2 Was passt zusammen?

1. Wie wär's mit einem Hemd?
2. Wie findest du das Bild?
3. Wie viel kostet das Buch?
4. Der Schrank kostet 48 Euro.
5. Was hältst du von den Lampen hier?
6. Wo ist die Kasse?
7. Welches soll ich nehmen, das weiße oder das blaue?
8. Was machst du denn hier?

A. 36 Euro.
B. Ich suche ein Geschenk für meinen Freund.
C. Da vorne.
D. Sie sind nicht so besonders.
E. Was, so teuer?
F. Das blaue steht dir besser.
G. Es gefällt mir gut.
H. Eine gute Idee.

TÜ 3 *Ein Gespräch im Kaufhaus* Ergänzen Sie.

A. Sag mal, wie _____ du den Pullover?

B. Nicht besonders. Die Farbe _____ mir nicht.

Ⓐ Was _____ du dann von dem Pullover dort?

Ⓑ Meinst du den blauen?

Ⓐ Genau, und auch den _____.

Ⓑ Hm, die beiden _____ mir besser. Aber welchen soll ich denn _____?

Ⓐ Ich finde, mit dem _____ siehst du besser aus.

Ⓑ Guck mal, _____ _____ kostet er?

Ⓐ _____ Euro.

Ⓑ Was, so teuer? Gibt es _____ _____?

Ⓐ _____ den Pullover hier, er kostet nur

_____ Euro und ist auch schön.

Ⓑ Gut, ihn _____ ich.

TÜ 4 *Ein Geschenk für die Freundin* Ergänzen Sie.

Wang Hongliangs Freundin hat am 22. September Geburtstag. Er möchte ihr

etwas _____. Lea _____ eine Mütze

_____. Heute möchte Wang Hongliang ins

Kaufhaus gehen und eine _____. Lea kommt

mit und _____ ihm. Im Kaufhaus _____

Lea ihm zuerst eine rote. Die _____ Hong-

liang nicht besonders. Am Ende（最 后）

nimmt Hongliang eine schwarze, denn Schwarz

_____ seiner Freundin besser. Am 22. gibt

seine Freundin eine Party. Lea kommt auch und

möchte ihr zum Geburtstag alles Gute _____.

gefallen
empfehlen
kaufen
schenken
helfen
wünschen
stehen
vor/schlagen

TÜ 5 Rollenspiel: Ihre Mutter hat Geburtstag. Sie gehen ins Kaufhaus und suchen ein Geschenk für sie. Eine Freundin berät Sie. (一个朋友给您出主意。)

Fangen Sie so an:

Ⓐ Wie findest du ...?　　Ⓑ ... gefällt mir nicht.

Ⓐ Was hältst du von ...?　　Ⓑ Die Farbe ...

GÜ 1 *Morgen, morgen, nur nicht heute* Bilden Sie Dialoge.

Beispiel: *Ich bringe das Buch morgen.*

A Kannst du es nicht heute bringen?

B Nein, das will ich nicht. Morgen.

> Morgen, morgen, sagen immer die faulen Leute.

1) Ich trage den Hut morgen.

2) Ich schreibe den Brief morgen.

3) Ich zeige meine Fotos morgen.

4) Ich rufe meine Eltern morgen an.

5) Ich bestelle das Essen morgen.

GÜ 2 „wollen" oder „können"? Ergänzen Sie.

1) A Möchtest du noch ein Stück Kuchen?

B Nein, danke. Ich _____ nicht mehr. Ich bin satt (饱了).

2) A Suchst du nicht gerade ein Zimmer? In meiner WG ist ein Zimmer frei. _____ du es mal besichtigen?

B Oh ja, gern. _____ ich jetzt kommen?

3) A _____ ich dich nach Hause bringen?

B Das ist nicht nötig. Ich _____ allein gehen.

A Natürlich _____ du! Aber ich _____ dich gern nach Hause bringen!

4) A Wir gehen zu Claudia. Sie gibt eine Geburtstagsparty. _____ du nicht mitkommen?

B Ich _____ schon, aber ich _____ leider nicht. Am Freitag machen wir eine Prüfung.

A Komm doch, du _____ aber auch morgen lernen.

5) A _____ ich Ihnen helfen?

B Mein Freund hat morgen Geburtstag. Ich _____ ihm ein Geschenk kaufen. Was _____ Sie mir empfehlen?

A Braucht er vielleicht eine Uhr? Die Uhren hier sind nicht schlecht.

GÜ 3 Warum kommen alle nicht zu meiner Geburtstagsparty?
„Können nicht", „wollen nicht", „dürfen nicht"? Bilden Sie Sätze.

Beispiel:

Claudia besucht ihre Mutter.

Claudia kann nicht kommen.

1) Thomas hat keine Lust.

2) Peter mag mich nicht mehr.

3) Der Vater von Klaus will es nicht.

4) Wang Hongliangs Fahrrad ist kaputt.

5) Sabine macht morgen eine Prüfung.

6) Anna mag keine Geburtstagstorte.

7) Trudi ist krank. Der Arzt sagt, sie muss im Bett bleiben.

GÜ 4 *Im Kaufhaus* Bilden Sie Dialoge.

Benutzen Sie das Bild auf Seite 141.

Beispiel:

A Entschuldigung, wo finde ich *Computer*?
B *In der dritten Etage.*

Pullover
Regale
Fahrräder
Bilder
Fernseher
Hemden
Toiletten
Mützen
Fußbälle
die Cafeteria

GÜ 5 Wann hast du Geburtstag?

Fragen Sie Ihre Kommilitonen und kreisen Sie im Kalender ein (问您的同学并在日历上画圈).

Beispiel:

Wann hast du Geburtstag?

Am achten September. Und du?

der Januar
der Februar
der März
der April
der Mai
der Juni
der Juli
der August
der September
der Oktober
der November
der Dezember

GÜ 6 *Die Leute* Ergänzen Sie.

1) Er trägt schon wieder den schwarz*en* Pullover. Der blau__ steht ihm eigentlich viel besser.

2) Sie fährt schon wieder das neu__ Auto. Das alt__ kann eigentlich noch gut fahren.

3) Werner ist der dritt__ Sohn in der Familie. Er hat am dreiundzwanzigst__ Neunt__ Geburtstag. Aber er gibt seine Geburtstagsparty erst am siebenundzwanzigst__. Das ist der viert__ Freitag im September.

4) Ich kann von den groß__ Fenstern aus die ander__ Leute beobachten (观察): Die jung__ Frau mit dem klein__ Kind geht immer um 7 Uhr aus dem Haus. Der alt__ Mann in der viert__ Etage macht um 6 Uhr einen Spaziergang. Erst um 10 Uhr stehen die deutsch__ Studenten nebenan auf.

GÜ 7 *Im Möbelhaus* Bilden Sie Dialoge.

Beispiel: *Drehstuhl – klein – gut*

Ⓐ Schatz (宝贝), wie findest du den *Drehstuhl*?
Ⓑ *Welchen* denn?
Ⓐ Na, *den kleinen*
Ⓑ Also, *ihn* finde ich *gut*.

1) Schrank – blau – schön   4) Betten – groß – praktisch
2) Couch – rot – cool   5) Regal – 5. links – modern
3) Nachttisch – schwarz – nicht besonders

GÜ 8 *Die Qual der Wahl* (选择的痛苦) Ergänzen Sie.

Beispiel: **A** Hier sind zwei Autos; das eine ist billig, aber alt, das andere ist neu, aber teuer. Welches nimmst du?

B *Ich nehme das billige und alte.*

1) Im Studentenwohnheim sind zwei Fahrstühle, der eine ist neu, aber langsam, der andere ist schnell, aber alt. Mit welchem fährst du?

_____

2) In der WG gibt es zwei Zimmer, das eine ist groß, aber teuer, das andere ist billig, aber klein. In welches Zimmer möchtest du umziehen?

_____

3) Die Mützen hier sind modern, aber unpraktisch, die anderen sind praktisch, aber unmodern. Welche gefallen dir besser?

_____

4) Dieses Restaurant ist schön, aber laut, das andere ist ruhig, aber klein. In welchem möchtest du essen?

_____

GÜ 9 *Weihnachtsgeschenke* Bilden Sie Dialoge.

Beispiel: meine Mutter / eine Uhr

A Du, sag mal, was schenken wir *meiner Mutter*?
B *Deiner Mutter*? Schenken wir *ihr eine Uhr*, oder?

1) mein Vater / eine Flasche Wein
2) meine Großeltern / eine Kaffeekanne
3) meine Schwester / ein Pullover
4) unser Sohn / ein Fahrrad

Beispiel: der Spiegel / meine Oma

A Du, sag mal, wem schenken wir *den Spiegel*?

B *Der Spiegel*? Schenken wir *ihn meiner Oma*, oder?

5) die Krawatte / mein Chef

6) die Kaffeetassen / meine Tante
7) der Wecker / meine Eltern
8) das Bild / mein Onkel

Gute Wünsche aussprechen und gratulieren 表达美好的愿望和祝贺

Redemittel

- Herzlichen Glückwunsch!
- Gratuliere!

- Gute Reise!
- Gute Fahrt!
- Gute Besserung!
- Alles Gute!

- Viel Erfolg!
- Viel Glück!
- Viel Vergnügen/Spaß!
- Schönes Wochenende!

IÜ 1 Ordnen Sie die E-Karten den Wünschen zu. (哪张电子贺卡与哪句祝福相符？)

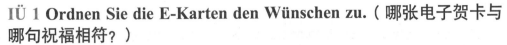

a) Schönes Wochenende!

b) Viel Spaß!

c) Alles Gute zum Geburtstag!

d) Schöne Reise!

e) Herzlichen Glückwunsch zur Hochzeit!

IÜ 2 Ergänzen Sie.

1) **A** Wann hast du denn die Prüfung?

   B Morgen.

   A Dann _____.

2) **A** Tut mir Leid, ich kann nicht kommen.
      Mir geht es schlecht.

   B Schade. Dann geh ins Bett und _____.

3) **A** Ich habe heute Geburtstag.

   B Ja? Dann _____.

4) **A** Wann fahren Sie los?

   B Heute Abend um halb acht.

   A Dann wünsche ich Ihnen eine _____.

5) **A** Wir gehen tanzen. Kommst du mit?

   B Nein, ich habe leider keine Zeit. Aber _____.

Kaufen und Schenken

HÜ 1 Hören Sie Dialog 1 zweimal und kreuzen Sie an.

1) Die Verkäuferin empfiehlt das Schweinefleisch zu _____ Euro.

   ☐ A. 4,99   ☐ B. 4,00   ☐ C. 5,99

2) Der Mann nimmt das Schweinefleisch zu _____ Euro.

   ☐ A. 4,00   ☐ B. 4,99   ☐ C. 5,99

HÜ 2 Hören Sie Dialog 2 zweimal und kreuzen Sie an.

1) Warum bringt die 1. Frau ein Geschenk?

   ☐ A. Sie kommt aus China.

   ☐ B. Claudia hat Geburtstag.

   ☐ C. Claudia trinkt gern Tee.

2) Was sind die Geschenke?

- ☐ A. Kaffeetassen
- ☐ B. Kaffeekanne
- ☐ C. Teetassen und Teekanne

HÜ 3 Hören Sie Dialog 3 zweimal und kreuzen Sie an.

099

		Ja	Nein
1)	Ihr Freund will ein chinesisch-deutsches Wörterbuch haben.	●	●
2)	Die Verkäuferin empfiehlt ihr zuerst das kleine.	●	●
3)	Das große gefällt ihr gut.	●	●
4)	Das große kostet 56 Euro.	●	●
5)	Sie will das Wörterbuch nicht kaufen, denn es ist teuer.	●	●

Leseverstehen

Schenken ist eine Kunst

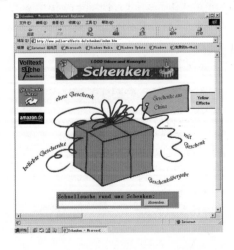

ohne Geschenk	1. Zu Einladungen ins Restaurant, zum Kaffee, ins Kino oder ins Theater bringt man grundsätzlich kein Geschenk mit. Auf eine Party kann man ohne Geschenk gehen, oder aber auch mal etwas zum Essen und Trinken mitbringen.
mit Geschenk	2. Ein Geschenk bekommen in Deutschland Geburtstagskinder, Hochzeitspaare（新婚夫妇）und die Gastgeber bei einer Einladung zum Essen im Haus. Zu Weihnachten schenkt man sehr viel. Man macht auch oft ein Geschenk als kleines Dankeschön.
beliebte Geschenke	3. Frauen kann man immer Blumen schenken, und Männern Wein. Bringen Sie Kindern lieber keine Süßigkeiten（糖果）mit! Manche Eltern wollen das nicht.
Geschenk-übergabe	4. Man gibt dem Gastgeber schon bei der Begrüßung das Geschenk. Der Gastgeber packt es sofort aus（打开包装）und sagt oft: „Oh, wie schön. Es gefällt mir. Vielen Dank!"
Geschenke aus China	5. Typische Geschenke aus China bringen sicher Freude, z. B. Seidentücher, Tee, Scherenschnitte（剪纸）.

⊗ **LÜ 1 Steht das im Text? Kreuzen Sie an.**

		Ja	Nein
1)	Auf einer Party muss man keine Geschenke mitbringen.	●	●
2)	Süßigkeiten sind als Geschenk gut für Kinder.	●	●
3)	Man gibt dem Gastgeber am Ende das Geschenk.	●	●
4)	Zu Einladungen zum Essen im Restaurant soll man auch Geschenke mitbringen.	●	●
5)	In Deutschland macht man Geschenke oft auch als Dankeschön.	●	●

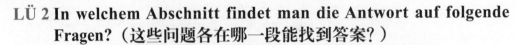

LÜ 2 **In welchem Abschnitt findet man die Antwort auf folgende Fragen?** （这些问题各在哪一段能找到答案？）

   a. Was schenkt man oft in Deutschland?

   b. Wann macht man Geschenke?

   c. Wann soll man in Deutschland nichts schenken?

   d. Welche Tipps（建议）gibt es für Geschenke aus China?

   e. Wann gibt der Gast das Geschenk und was macht der Gastgeber mit dem Geschenk？

a	b	c	d	e

LÜ 3 **Diskutieren Sie: Welche Unterschiede gibt es beim Schenken zwischen Deutschen und Chinesen?**

LÜ 4 **Schreiben Sie Ihrem deutschen Brieffreund/Ihrer Brieffreundin eine E-Mail und fragen Sie ihn/sie, ob er/sie wirklich so schenkt.** （发封电子邮件给您的笔友，问他／她是否就是这么送礼物的。）

I. Modalverben „können" und „wollen" （情态动词 können 和 wollen）

1 Konjugation

Mv Pers.	können	wollen	Mv Pers.	können	wollen
ich	kann	will	wir	können	wollen
du	kannst	willst	ihr	könnt	wollt
er/sie/es	kann	will	sie	können	wollen
Sie	können	wollen	Sie	können	wollen

2 Gebrauch

Bedt. / Funkt. / Mv		作助动词 (als Hilfsverb)	作独立动词 (als Vollverb)
können	a. 能够，会 b. 可以	Er kann Auto fahren. Heute kann sie nicht kommen. Kann ich jetzt gehen?	Sie kann gut Deutsch. Kann ich heute ins Kino? Du kannst jetzt nach Hause.
wollen	a. 想要 b. 愿意	Hans will fernsehen. Was willst du trinken?	Was willst du? Wir wollen nach München.

II. Deklination des Adjektivs nach dem bestimmten Artikel (形容词在定冠词后的变化)

形容词作名词的定语时须与被修饰和被限定的名词保持性、数、格一致。

格 / 数、性	Sing.			Pl.
	m	f	n	
N	der blau**e** Hut	die alt**e** Uhr	das schön**e** Bild	die schön**en** Bilder
D	dem blau**en** Hut	der alt**en** Uhr	dem schön**en** Bild	den schön**en** Bilder**n**
A	den blau**en** Hut	die alt**e** Uhr	das schön**e** Bild	die schön**en** Bilder

注：形容词在指示代词 **dieser**, **jener** 和不定数词 **alle**, **beide**, **jeder** 后的变化与在定冠词后相同。

III. Fragepronomen „welcher", „welche", „welches"; „welche" (疑问代词 welcher, welche, welches; welche)

格 / 数、性	Sing.			Pl.
	m	f	n	
N	welcher	welche	welches	welche
D	welchem	welcher	welchem	welchen
A	welchen	welche	welches	welche

welch-用于对指定范围内可进行选择的人或事物进行提问。可与名词连用作定语，也可独立使用。

Beispiele: **A** *Welchen Hut* nimmst du, den blauen oder den schwarzen?

B Den schwarzen.

A Hier sind zwei Autos. *Welches* gefällt dir?

B Das rote.

IV. Ordnungszahlen (序数词)

Bildung

1—19: 基数词 + t	20 以上: 基数词 + st
1. erst-*	20. zwanzigst-
2. zweit-	25. fünfundzwanzigst-
3. dritt-*	30. dreißigst-
4. viert-	46. sechsundvierzigst-
5. fünft-	51. einundfünfzigst-
8. acht-*	64. vierundsechzigst-
10. zehnt-	78. achtundsiebzigst-
12. zwölft-	86. sechsundachtzigst-
19. neunzehnt-	99. neunundneunzigst-

注：复合的基数词构成序数词时，是加词尾 -t 还是 -st，取决于最后一个数词。
如 105. einhundertfünft-, 125. einhundertfünfundzwanzigst-

Beispiele: *Hans wohnt in der zweiten Etage.*

Er ist zum *ersten* Mal in Deutschland.

A *Der Wievielte* ist heute?

B Heute ist *der 8. (achte) Dezember 2009.*

Am 15. (fünfzehnten) Dezember hat er Geburtstag.

 **Einführung**

*der	Stock die Stockwerke	楼层	Das Wohnhaus hat acht Stockwerke.
*das	Kaufhaus ⸚er	百货大楼，百货商店	Karstadt ist ein Kaufhaus in Deutschland.
*	kaufen+A	购买	Die Studenten kaufen gern Bücher.
die	Sportbeklei-dung -en	运动服	Die Studenten tragen lieber Sportbekleidung.
*das	Gerät -e	器具，器械，用具	Gute Sportgeräte sind teuer.
*die	Dame -n	女士	Meine Damen und Herren!

*die	Toilette -n		厕所，洗手间	Im Kaufhaus gibt es auf jedem Stockwerk Toiletten.
*die	Schreibware -n		文具，办公用品	Die Mutter kauft Schreibwaren für ihre Kinder.
*die	Zeitschrift -en		杂志，期刊	Wie heißt die Zeitschrift?
*der	Haushalt		家政，家务	Meine Mutter macht bei mir zu Hause den Haushalt.

🎧 101 **Text**

*	grüßen		问候，打招呼	Grüß dich, Lea.
*das	Geschenk -e		礼物	Ich suche ein Geschenk für meine Freundin.
*	wollen (will)		愿意，打算，希望	Was willst du ihr denn schenken?
*	schenken (+D) +A		赠送	
*	können (kann)		能够，会，可能	
*	bloß	Part.	（加强命令句或问句语气）千万，究竟，到底	Was kann ich ihr bloß schenken?
*	wissen (weiß)		知道，了解	Das weiß ich nicht.
*die	Mütze -n		（无帽檐的）帽子，便帽	Wie wär's mit einer Mütze?
*das	Mädchen -		少女，姑娘	Frau Mayer hat zwei Kinder, ein Mädchen und einen Jungen.
*	tragen (trägt) +A		穿，戴	Er trägt eine Brille.
*	alle	Pron.	所有的（人）	Sind alle da?
*die	Etage -n		楼层	In der ersten Etage findet man Mützen.
*	hin/gehen		去（某处或某人处）	Wo gehen Sie hin?
#	gucken		瞧，张望	Guck mal, hier sind Mützen.
*	welcher	Pron.	（疑问代词）哪个；哪些	Hier sind Kugelschreiber. Welchen möchten Sie?
*	rot	Adj.	红色	Die rote Blume möchte ich meiner Mutter schenken.
*die	Farbe -n		颜色	Die Farbe steht mir nicht besonders.
*	stehen +D		适合于	
*	halten (hält)		认为	Was hältst du von dem Handy hier?

*	meinen +A		认为，觉得，指	Meinst du die blaue?
*	blau	Adj.	蓝色的	Gefällst dir das blaue Fahrrad?
*	schwarz	Adj.	黑色的	Mit der schwarzen Mütze sieht deine Freundin bestimmt gut aus.
*	nach/sehen (sieht nach)		查看，审阅	Sehen Sie mal nach, wie viel sie kostet!
*	billig	Adj.	便宜的，廉价的	Gibt es keine billigeren?
*die	Kasse -n		付款处	Wo ist die Kasse?
*der	September -		九月	Im September habe ich Geburtstag.
*der	Glückwunsch ⸚e		庆贺，祝贺	Herzlichen Glückwunsch zum Geburtstag!
*	wünschen +(D) +A		希望，祝愿，想要	Ich wünsche dir/Ihnen viel Glück!

🎧 **Übungen**
102

*der	Pullover -		套头毛衣，套衫	Lea sucht einen Pullover.
*	kaputt	Adj.	坏的，破碎的	Mein Handy ist kaputt.
*die	Leute Pl.		人们	Kleider machen Leute.
*der	Spaziergang o. Pl.		散步	Nach dem Essen soll man einen Spaziergang machen.
*der	Fahrstuhl ⸚e		电梯	Im Mädchenwohnheim gibt es zwei Fahrstühle.
*	ander-	Pron.	其他的（人或物）；别的，另外的，其他的	Wo sind die anderen?
*	praktisch	Adj.	实际的，实用的	Das Messer aus der Schweiz ist teuer, aber praktisch.
*die	Couch -es/en		长沙发椅，睡椅	Wang Hongliang möchte eine Couch für die neue Wohnung kaufen.
*das	Weihnachten -		圣诞节	Weihnachten feiert man in Deutschland schon am 24. Dezember.

🎧 **Intentionen**
102

*	gratulieren +D (+zu)		祝贺，庆贺	Ich gratuliere Ihnen herzlich zum Geburtstag!
*die	Hochzeit -en		婚礼	Ich gratuliere euch ganz herzlich zur Hochzeit!

*der	Erfolg -e		成功，成就	Der Lehrer gratuliert seinen Studenten zu ihrem Erfolg bei der Prüfung.
*die	Reise -n		旅行	Ich wünsche Ihnen eine gute Reise!
*die	Fahrt -en		旅行，行程	Der Vater wünscht seinem Sohn gute Fahrt.
*die	Besserung o. Pl.		好转，改变，变好	Gute Besserung!
*das	Vergnügen -		愉快，高兴；娱乐，消遣	Die Sekretärin wünscht ihrem Chef viel Vergnügen im Urlaub.
*das	Wochenende -n		周末	Die Studenten wünschen sich ein schönes Wochenende.

103

Hörverstehen

*das	Wörterbuch ⸚er		字典	Wie viel kostet das Wörterbuch?
*	unterwegs	Adv.	途中	Man muss es unterwegs immer mitnehmen.

103

Leseverstehen

*das	Theater -		剧院	Der alte Mann geht oft ins Theater.
*	grundsätzlich	Adj.	原则性的，基本的，一般的	Herr Shao trinkt grundsätzlich keinen Alkohol.
#die	Übergabe -n		递交，交出	Wissen Sie, wann die Übergabe des Wohnungsschlüssels ist?
#der	Gastgeber - (die Gast- geberin -nen)		主人（女主人）	Das ist ein Geschenk für den Gastgeber.
*die	Begrüßung -en		迎接，问候	Man gibt dem Gastgeber schon bei der Begrüßung das Geschenk.
*	typisch	Adj.	典型的	Typische Geschenke aus China bringen bestimmt Freude.
*die	Freude -n		愉快，欢乐，高兴	Ich habe immer Freude an der Arbeit.
*	aus/packen +A		打开（包装），取出	Er packt das Geschenk sofort aus.

Einheit 8

FREIZEIT UND FERIEN

EÜ 1 Was kann man in der Freizeit machen?

EÜ 2 Beschreiben Sie die Bilder.

EÜ 3 Was haben Sie in den Ferien gemacht?

Text

Am Wochenende und in den Ferien

Insel Rügen

www.ruegen.m-

Ich surfe gern. Aber nur im Internet!

Dialog 1

104

	Albert:	Morgen!
	Bruno:	Morgen! Na, was hast du am Wochenende gemacht?
	Albert:	Ich bin an die Ostsee gefahren und habe einen Ausflug nach Rügen gemacht.
5	Bruno:	Rügen?
	Albert:	Ja, das ist die Insel mit den Kreidefelsen, ganz in der Nähe der Stadt Stralsund.
	Bruno:	Mensch! Da bist du schon gewesen?
	Albert:	Ja, zum ersten Mal.
10	Bruno:	Und wie war es[1]?
	Albert:	Herrlich! Einfach herrlich! Seeluft, Wellen, Möwen (海鸥), Strand, ... Ich habe im Meer gebadet und in der Sonne gelegen.
	Bruno:	Hast du auch in der Ostsee gesurft?
	Albert:	Na, klar. Es war wirklich phantastisch! Ich bin auch am
15		Strand spazieren gegangen.
	Bruno:	Hm, du hast es gut[2]. Ich will auch unbedingt mal auf die Insel! Sag mal, hast du Fotos gemacht?
20	Albert:	Selbstverständlich. Ich habe während der Fahrt und auf der Insel viel fotografiert. Ich zeige dir die Bilder später.

Bruno:	Prima! Übrigens, wie lange hat die Fahrt gedauert?
Albert:	Von Berlin mit dem Auto etwa ... etwa 3 Stunden.

Dialog 2

Journalistin:	Guten Tag! Ich komme von der Universitätszeitung und möchte einen Bericht über eure Erlebnisse in den Ferien schreiben. Was habt
5	
	ihr in den Ferien gemacht? Könnt ihr mir etwas berichten?
Günther:	Ja, gerne. Ich habe einen Monat auf dem Land verbracht.
Journalistin:	Schön. Was hast du da erlebt?
10 Günther:	Ich habe einen Monat im Biergarten als Kellner gearbeitet und viel Geld verdient.
Journalistin:	Und du?
Moritz:	Ich habe ein Praktikum bei der Firma Siemens absolviert.
Journalistin:	Interessant. Was hast du dort gemacht?
15 Moritz:	Ich habe Prospekte vom Deutschen ins Englische übersetzt[3]. Dabei hat es mir viel Spaß gemacht. Und ich habe auch in der Abteilung für Qualitätsmanagement viel gelernt
20	und Erfahrungen gesammelt. Das ist sehr nützlich für meine Abschlussarbeit.
Rita:	Ich habe nur gejobbt. Denn ich muss mein Studium selbst finanzieren.
Journalistin:	Was studierst du?
25 Rita:	Informatik.
Journalistin:	Und wo hast du gejobbt?
Rita:	Bei IBM in Düsseldorf.
Journalistin:	Was hast du da gemacht?
Rita:	Ich habe Programmieren gelernt.
30 Journalistin:	Super. Habt ihr alle denn keine Lust auf Reisen und Ausflüge?
G: M: R:	Doch.
Journalistin:	Aber ...

Günther:	Ferien sind für viele Studenten schon eine Gelegenheit zum Geldverdienen.	
Moritz:	In den Ferien können wir etwas Praktisches[4] lernen.	
Rita:	Das ist auch wichtig für das spätere Berufsleben.	

35

Hilfe zum Verstehen

1. Wie war es? 旅行情况 / 玩得如何？（es 指前面提到的事情。）
2. Du hast es gut.（表示羡慕）你真不错！/ 你倒好！
3. etwas vom … ins … übersetzen 将……翻译成……
4. etwas Praktisches 一些实际的东西

Übungen

⊗ **TÜ 1 Steht das im Dialog 1? Kreuzen Sie an.**

		Ja	Nein
1)	Albert ist an die Ostsee gefahren.	●	●
2)	Bruno findet Alberts Ausflug nicht besonders.	●	●
3)	Rügen ist weit von der Stadt Stralsund.	●	●
4)	Die Reise hat Albert sehr gut gefallen.	●	●
5)	Bruno möchte auch mal hin.	●	●
6)	Man fährt zwei Stunden bis an die Ostsee.	●	●

TÜ 2 *Spaß am Meer* Was passt zusammen?

1)	an die Ostsee	a)	liegen
2)	auf der Insel	b)	bleiben
3)	in der Ostsee	c)	surfen
4)	in der Sonne	d)	baden
5)	am Strand	e)	fahren
6)	auf der See	f)	spazieren gehen

⊗ TÜ 3 Steht das im Dialog 2? Kreuzen Sie an.

1) Worum geht es im Dialog 2?

☐ A. Ein Interview mit Studentinnen.

☐ B. Ein Interview einer Journalistin und Studenten.

☐ C. Ein Interview einer Journalistin mit drei Studenten.

2) Was möchte die Journalistin wissen?

☐ A. Was haben die Studenten in den Ferien gemacht?

☐ B. Was haben die Studenten in der Freizeit gemacht?

☐ C. Wo haben die Studenten ihre Ferien verbracht?

3) Wie haben die Studenten darauf reagiert (反应)?

☐ A. Sie antworten nicht gern.

☐ B. Die Studenten haben Angst.

☐ C. Sie haben gern geantwortet.

4) Warum interviewt die Journalistin die Studenten?

☐ A. Sie braucht Geld für ihr Studium im nächsten Semester.

☐ B. Sie möchte einen Artikel für die Zeitung der Universität schreiben.

☐ C. Sie macht gerade ein Praktikum.

TÜ 4 Wer hat was gemacht? Antworten Sie.

Beispiel: <u>Günther</u> hat einen Monat auf dem Land verbracht.

Günther:

Moritz:

Rita:

> gearbeitet, viel Geld verdient
>
> ~~auf dem Land gelebt~~
>
> Prospekte vom Deutschen ins Englische übersetzt
>
> gejobbt
>
> ein Praktikum absolviert
>
> Programmieren gelernt

TÜ 5 Ihre Erlebnisse in den Ferien (Berichten Sie in ca. zehn Sätzen).

TÜ 6 *Weitere Infos über Praktikum und Job in den Ferien*
Klicken Sie auf:

> *http://www.karriere.de*
> *http://www.workingoffice.de*
> *http://www.nebenjob.de*
> *mail to: Praktikumsboerse@karriere.de*

TÜ 7 **Was finden Sie interessant? Bitte berichten Sie.**

GÜ 1 **Haben Sie das gemacht? Antworten Sie.**

Beispiel: **A** Möchten Sie den Film sehen?

B Ich habe ihn schon gesehen.

1) **A** Machen Sie ein Interview mit den Studenten.
   B _____

2) **A** Möchten Sie mal fotografieren?
   B _____

3) **A** Schreiben Sie einen Bericht über Ihr Praktikum.
   B _____

4) **A** Übersetzen Sie die Prospekte.
   B _____

GÜ 2 **„haben" oder „sein"? Ergänzen Sie.**

Beispiel: **A** Wie sind Sie auf die Insel gekommen?

B Ich habe den Zug genommen.

1) **A** Wohin _____ du gefahren?
   B Ich _____ an die Ostsee gefahren.

2) **A** Was _____ du da gemacht?
   B Ich _____ gesurft.

3) **A** Was _____ er nach dem Essen gemacht?
   B Er _____ am Strand spazieren gegangen.

4) **A** Heute früh _____ es geregnet.

B Aber am Nachmittag _____ es wieder schön geworden.

5) **A** _____ du am Wochenende einen Ausflug gemacht?

B Nein, ich _____ zu Hause geblieben.

GÜ 3 *Eine E-Mail aus Berlin* Ergänzen Sie.

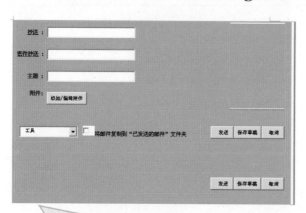

besuchen
bekommen
mailen
essen
einkaufen
sein
machen
trinken

Hallo Susanne,

heute maile ich dir etwas Interessantes. Gestern habe ich einen Stadtbummel gemacht. Berlin ist einfach klasse. Ich habe die Gedächtniskirche _____. Am Alexanderplatz habe ich _____. Weißt du was? Ich bin auch auf dem Weihnachtsmarkt _____. Das hat wirklich Spaß _____. Zum ersten Mal habe ich Glühwein _____ und Lebkuchen _____. Übrigens habe ich dir zweimal _____. Hast du die _____?

Viele liebe Grüße

Ulli ☺

GÜ 4 „Haben" oder „hatten", „sein" oder „waren"? Ergänzen Sie.

1) Früher war ich Kaufmann. Meine Eltern _____ eine Firma. Da _____ wir viele Kontakte（联系）zu den anderen Firmen. Wir _____ schon reich, aber ich _____ auch viel Arbeit. Mein Terminkalender（记事本）_____ immer voll.

2) **A** _____ Sie schon einmal in China gewesen?

B Ja, ich _____ einmal in China, 1999.

3) **A** Wann _____ er gestern Abend nach Hause gekommen?

B Es _____ gegen 22: 00 Uhr.

GÜ 5 Ein Genitivspezialist antwortet. Bilden Sie Dialoge.

Beispiel: (A) Wem gehört das Buch? Deinem Vater?

(B) Ja. Das ist das Buch meines Vaters.

1) (A) Wem gehört der Fußball? Deinem Bruder?

(B) _____

2) (A) Wem gehört das Fahrrad? Deiner Freundin?

(B) _____

3) (A) Wem gehört der Computer? Eurem Institut?

(B) _____

4) (A) Wem gehören die Bücher? Euren Studenten?

(B) _____

5) (A) Wem gehört die Wohnung? Deinem Sohn?

(B) _____

GÜ 6 *Eine schwerhörige* (耳背的) *Oma* Formen Sie um.

Beispiel: (A) Beim Kochen probiert er das Essen.

(B) Wann probiert er das Essen?

(A) Während des Kochens.

1) (A) Beim Essen redet er viel.

(B) _____

(A) _____

2) (A) Beim Schreiben hört er Musik.

(B) _____

(A) _____

3) (A) Beim Lesen trinkt er Kaffee.

(B) _____

(A) _____

4) **A** Beim Fußballspielen denkt er an die Weltmeisterschaft (世界杯).

B _____

A _____

5) **A** Beim Nachhausegehen ruft er seine Freundin an.

B _____

A _____

Intentionen

Nach Erlebnissen
fragen und darüber berichten
（询问经历并叙述经历）

- Was machen Sie in der Freizeit / in den Ferien / am Wochenende?

Redemittel

- Wo wart ihr?
- Wo hat er seinen Urlaub verbracht?
- Wohin bist du gefahren?
- Wie sind Sie dahin gereist?

...

- Wir sind zu Hause geblieben.
- Er hat den Urlaub ... verbracht.
- Ich bin zu / nach / in ... gegangen.
- Ich bin mit ... gefahren.

...

IÜ 1 Machen Sie ein Interview.

Fragen Sie Ihren Nachbarn / Ihre Nachbarin, was er / sie am Wochenende gemacht hat. (in ca. fünf Sätzen)

IÜ 2 Berichten Sie, was Sie interviewt haben. (in ca. fünf Sätzen)

Hörverstehen

Was machen Sie in Ihrer Freizeit?

Hilfe zum Verstehen

1. Wir machen gerade eine Umfrage. 我们正在做一个民意测验。

 **HÜ 1 Hören Sie den Dialog einmal und kreuzen Sie an.**

1) **Worum geht es in diesem Dialog?**

☐ A. eine Diskussion (讨论)

☐ B. einen Unterricht

☐ C. ein Interview

☐ D. eine Reise

2) Hören Sie den Dialog noch einmal und antworten Sie.

A. Was bietet das Jugendzentrum an? Nennen Sie mindestens drei Angebote.

B. Welches Hobby hat die Interviewte (被采访者)?

HÜ 2 Richtig oder falsch? Kreuzen Sie an.

07

		Ja	Nein
1)	In meiner Freizeit gehe ich oft in ein Sprachzentrum.	●	●
2)	Dort lerne ich fotografieren.	●	●
3)	Zeichnen macht mir viel Spaß.	●	●
4)	Ich interessiere mich sehr für Tennis.	●	●
5)	Der Diskoabend kostet nicht sehr viel.	●	●
6)	Man kann die Getränke kaufen. Aber es ist billig.	●	●
7)	Man kann auch ins Internet-Café gehen.	●	●

Leseverstehen

Aus dem Blog von Susanna

21. Juni:

Per Anhalter[1] bin ich etwa 4 Stunden gefahren. Gleich der dritte Wagen hat mich mitgenommen. Um 14.30 Uhr bin ich auf dem Campingplatz in Heidelberg angekommen. Jetzt liege ich ganz faul am Neckar und genieße die Sonne.

5

22. Juni:

Die Leute im Zelt nebenan kommen aus Hamburg. Zwei Mädchen und zwei Jungen. Heute

10

Morgen habe ich für sie Kaffee gekocht. Wir haben zusammen im Fluss gebadet und unsere E-Mail-Adresse und Handynummern getauscht. Sie wollen morgen nach Südfrankreich fahren und ich will in den Schwarzwald.

25. Juni:

15 Die Jugendherberge ist nicht so toll. Die Herbergseltern sind sehr streng.
Gestern bin ich per Mitfahrgelegenheit in den Schwarzwald gefahren. So bin
ich hierher gekommen. Ich habe drei Euro für Benzin
bezahlt. Das war billig. Denn wir sind zu viert[2] gefahren.
In Freiburg habe ich wieder Glück gehabt. Ein Auto hat

20 mich bis zum[3] Feldberg mitgenommen. Bis zur Jugendherberge bin ich dann gewandert.

Hilfe zum Verstehen

1. Per Anhalter 拦车搭乘（只用于短语）
2. zu viert 四人一起
3. bis zu 直至

Das finde ich cool.

⊗ **LÜ 1** **Steht das im Text?** **Kreuzen Sie an.**

		Ja	Nein
1)	Susanna ist per Mitfahrgelegenheit gereist.	●	●
2)	Sie hat auf dem Campingplatz im Zelt übernachtet.	●	●
3)	Da hat sie ihre Freunde aus Hamburg getroffen.	●	●
4)	Sie sind mit ihnen zusammen nach Frankreich gefahren.	●	●
5)	Die Jugendherberge hat ihr gut gefallen.	●	●
6)	Die Reise hat sie wenig Geld gekostet.	●	●

LÜ 2 *Informationen aus dem Blogtext* **Tragen Sie ein.**

Datum	Zielort （目的地）	Verkehrsmittel （交通工具）	Mitfahrer （同行者）	Tätigkeit （活动）
21. Juni		per Anhalter		in der Sonne liegen
22. Juni				
25. Juni	Jugend- herberge			

LÜ 3 *Einen Tagebuchtext* **Schreiben Sie. (in ca. 10 Sätzen)**

LÜ 4 **Wollen Sie mehr Infos über Reisen in Deutschland? Klicken Sie dann bitte auf**

> *http://www.mitfahrgelegenheit.de*
> *http://www.ab-in-den-urlaub.de*
> *http://www.drive2day.de (kostenlose Mitfahrzentrale seit 1998)*

I. Perfekt（现在完成时）

1 Die Bildung des Perfekts | **Perfekt = haben /sein + Partizip II**

2 Die Bildung des Partizips II

规则动词	不规则动词
a) PII＝ge＋词干＋t 　　machen → gemacht 　　lernen → gelernt	a) PII＝ge＋词干（元音多数发生换音）＋en 　　sprechen → gesprochen 　　gehen → gegangen
b) PII＝ge＋词干＋et 　　arbeiten → gearbeitet 　　öffnen → geöffnet 　（词干以 -d, -t, -chn, -ffn 和 -gn 结尾的动词）	b) PII＝ge＋词干（换音）＋t 　　wissen → gewusst 　　bringen → gebracht

可分动词	注：带有非重读前缀的动词和以 -ieren 结尾的动词构成第二分词时不加 -ge, 如：
PII＝可分前缀＋ge＋词干＋(e)t/en aufstehen → aufgestanden zuhören → zugehört	besuchen → besucht verstehen → verstanden studieren → studiert

3 Gebrauch

现在完成时表示说话时已经结束或完成并与现在仍有联系的行为或状态。

Beispiele:

Herr Müller hat gestern ein Auto gekauft.

Hans ist heute Vormittag nach Hamburg gefahren.

4 Hilfsverb „haben" oder „sein"

haben	sein
a) 所有及物动物	下列不及物动词:
b) 所有情态动词	a) 位置改变的动词
c) 所有真正的无人称动词	如：gehen, fahren, kommen 等
d) 所有反身动词	b) 状态改变的动词
e) 表示持续性行为和状态的不及物动词	如：umziehen, aufstehen 等
	c) 动词 sein, bleiben, werden

II. „sein" und „haben" im Präteritum

		haben	sein 和 haben 本身的现在完成时常用其过去时形式代替。
ich	war	hatte	如： A. Warum bist du gestern nicht mitgekommen?
du	warst	hattest	B. Ich hatte keine Zeit. (=Ich habe keine Zeit gehabt.) Ich
er/sie/es	war	hatte	hatte Besuch. (=Ich habe Besuch gehabt.)
wir	waren	hatten	A. Wo warst du heute Vormittag? (=Wo bist du heute
ihr	wart	hattet	Vormittag gewesen?)
sie	waren	hatten	B. Ich war in der Bibliothek. (=Ich bin in der Bibliothek
Sie	waren	hatten	gewesen.)

III. Genitiv als Attribut（第二格作定语）

1 Deklination

数　格	性	m	f	n
Sing.	N	der gute Freund	die alte Tante	das kleine Kind
	G	**des guten Freundes**	**der alten Tante**	**des kleinen Kindes**
	D	dem guten Freund	der alten Tante	dem kleinen Kind
	A	den guten Freund	die alte Tante	das kleine Kind
Pl.	N	die guten Freunde	die alten Tanten	die kleinen Kinder
	G	**der guten Freunde**	**der alten Tanten**	**der kleinen Kinder**
	D	den guten Freunden	den alten Tanten	den kleinen Kindern
	A	die guten Freunde	die alten Tanten	die kleinen Kinder

注：强变化阳性和中性名词的单数第二格加词尾 -s，其中单音节名词和以 -s, -ß, -x, -z, -sch 等结尾的名词加词尾 -es；弱变化阳性名词的单数第二格加词尾 -n 或 -en。

（不定冠词、物主代词和名词的第二格）

数 \ 格	性	m	f	n
Sing.	N	ein/mein Freund	eine/meine Tante	ein/mein Kind
	G	**eines/meines Freundes**	**einer/meiner Tante**	**eines/meines Kindes**
	D	einem/meinem Freund	einer/meiner Tante	einem/meinem Kind
	A	einen/meinen Freund	eine/meine Tante	ein/mein Kind
Pl.	N	meine Freunde	meine Tanten	meine Kinder
	G	**meiner Freunde**	**meiner Tanten**	**meiner Kinder**
	D	meinen Freunde<u>n</u>	meinen Tanten	meinen Kinder<u>n</u>
	A	meine Freunde	meine Tanten	meine Kinder

2 Gebrauch

作定语

A. 表示所属关系，提问用wessen

Wessen Auto steht dort drüben? −Das Auto meines Bruders steht dort drüben.

Wessen Mantel ist das? −Das ist der Mantel der Lehrerin.

Die Häuser der Stadt sind sehr schön.

B. 表示动宾关系

die Entwicklung der Wirtschaft (Man entwickelt die Wirtschaft.)

die Verbesserung des Lebens (Man verbessert das Leben.)

C. 表示主谓关系

die Entstehung der Firma (Die Firma entsteht.)

die Ankunft des Zuges (Der Zug kommt an.)

D. 与支配第二格的介词构成介词短语

1. Während der Ferien hat der Student ein Praktikum gemacht.

2. Die Studentin hat während der Fahrt viel fotografiert.

 Einführung
108

*die	Freizeit -en		空闲时间，业余时间	Was machst du in der Freizeit?
*	Ferien Pl.		假期（仅供学校使用）	Die Ferien kommen bald.
*	springen (a, u)		跳，跳跃	Das Wasser springt aus der Quelle.
*das	Meer -e		海，大海，公海	Das Meer ist sehr weit.
*die	Wiese -n		草地，草坪	Das Haus liegt auf der grünen Wiese.

 Text
109

*die	See o.Pl		海 (die Ostsee 波罗地海)	Wir fahren an die See.
*der	Ausflug ⸚e		郊游，短途旅行	Ich habe einen Ausflug nach Rügen gemacht.
	Rügen		吕根岛（波罗地海中一岛屿）	Rügen ist eine Insel in der Ostsee.
*die	Insel -n		岛，岛屿	Das Land hat viele Inseln.
der	Kreidefelsen -		白垩岩	Rügen ist wegen der Kreidefelsens bekannt.
*die	Nähe o. Pl.		附近	Ich wohne in der Nähe der Stadt.
*	herrlich	Adj.	美妙的，精彩的	Die Reise war wirklich herrlich.
*die	Luft ⸚e		风，空气	Die Luft ist warm.
*die	Welle -n		波浪	Die Wellen kommen schnell her.
*der	Strand ⸚e		海滩，沙滩	Sie gehen am Strand spazieren.
*	baden		洗澡，游泳	Er badet im Fluss.
*	phantastisch	Adj.	梦幻般的	Das Leben hier ist phantastisch.
*	unbedingt	Adv.	无条件的，一定地	Ich will unbedingt mal nach Rügen.
*	selbstver-ständlich	Adj.	不言而语的，当然的	Das ist selbstverständlich.
*	fotografieren		拍照，摄影	Ich habe viel fotografiert.

*	während	Präp. +G	在……期间，在…… 时候	Während der Fahrt regnet es viel.
*die	Fahrt -en		行驶，行程	Die Fahrt dauert drei Stunden.
*	dauern		续，延续	
*der	Bericht -e		报道，报告	Sie muss einen Bericht schreiben.
*	berichten		报告，告知	Was hat sie berichtet?
*	verbringen (verbracht h.)		度过（时间／假期）	Er hat einen Monat auf dem Land verbracht und viel erlebt.
*	erleben		体验，经历	
der	Garten ⸚e		园子，花园	Ich habe im Garten gearbeitet.
*	verdienen		挣得，赚得	Er hat wenig verdient.
#das	Praktikum Praktika		经验实习，实习课程； 实践	Ich habe ein Praktikum bei der Firma absloviert.
*	absolvieren		完成，结束	
*der	Prospekt -e		广告，说明书	Können Sie den Prospekt übersetzen?
*	übersetzen		翻译，笔译	
*	Abteilung -en		部门，处	Arbeiten Sie auch in der Abteilung für Marketing?
*die	Qualität -en		质量	Die Waren sind von guter Qualität.
*das	Management o. Pl.		管理，经营	Wer studiert Management?
*	nützlich	Adj.	有用的	Das ist sehr nützlich.
*die	Abschlussarbeit -en		毕业论文	Er schreibt gerade an seiner Abschlussarbeit.
*	jobben		（做临时性）工作，打 工	Ich jobbe zweimal in der Woche.
*	finanzieren		支付……费用，提供 资金	Ich muss mein Studium selbst finanzieren.
*das	Programmieren o. Pl.		编程序	Ich habe Programmieren gelernt.
*	super	Adv.	非常，特别地；最，极	Die Gelegenheit ist ja wirklich super.
*die	Gelegenheit -en		机会	
*	wichtig	Adj.	重要的	Sein Vorschlag ist für unsere Arbeit wichtig.
*das	Berufsleben o. Pl.		职业生活	Das ist für unser Berufsleben wichtig.

Übungen 110

*	bleiben / geblieben sein		待，停留	Ich bin zu Hause geblieben.
#	mailen		发电子邮件	Wir mailen uns oft.
*der	Bummel -		闲逛	Ein Bummel nach dem Essen ist gesund.
*	klasse	Adj.	真棒的，非常好的，	Die Stadt Berlin ist einfach klasse.
die	Gedächtniskirche		纪念大教堂	Die Gedächtniskirche liegt im Stadtzentrum.
der	Alexanderplatz o.Pl.		亚历山大广场	Auf dem Alexanderplatz ist viel los.
*der	Markt ̈e		市场，集市	Gibt es hier in der Nähe einen Markt?
der	Glühwein		（烫热的）甜葡萄酒	Hast du Glühwein probiert?
der	Lebkuchen -		胡椒蜂蜜饼（茴香饼）	Wann isst man den Lebkuchen?
die	Weltmeisterschaft -en		世界杯	Beim Fußballspielen denkt er an die Weltmeisterschaft.

 Hörverstehen 111

*die	Jugend		青年	Er versteht die Jugend von heute nicht sehr gut.
*das	Zentrum ...ren		中心	Sie geht oft ins Jugendzentrum.
*die	Landschaftsaufnahme -n		风景摄影	Er hat während der Reise Landschaftsaufnahmen gemacht.
*	zeichnen		素描，画画，画图	Er kann gut zeichnen.
*	interessant		有趣的,令人感兴趣的	Ihr Vortrag ist interessant.
#	freilich	Adv.	当然，无疑，的确	Darf ich mitkommen? Freilich!
*	cool	Adj.	酷的	Der Junge mit Brille sieht cool aus.
*der	Preis -e		价格，价钱，奖励	Die Preise sind auch niedrig.
*	niedrig	Adj.	低的，矮的	
#die	Nachhilfestunde -n		补习课	Sie gibt zweimal in der Woche Nachhilfestunden.
*	bekommen		得到，获得	Was bekommen Sie denn?
*die	Sprache -n		语言	Er kann viele Sprachen.

 Leseverstehen

112

*der	Campingplatz ⸚e		宿营地	Ist hier in der Nähe ein Campingplatz?
	Heidelberg		海德堡	Wo liegt die Stadt Heidelberg?
der	Neckar		内卡河	Der Neckar ist ein Fluss in Süddeutschland.
#	genießen		享受	Ich liege auf der Wiese und genieße die Sonne.
#das	Zelt -e		帐篷	Ich kaufe ein Zelt für meinen Urlaub.
#	nebenan	Adv.	在隔壁, 在旁边	Er wohnt im Haus nebenan.
*die	Adresse -n		地址	Sie haben ihre Adressen ausgetauscht.
*	tauschen		交换	Er hat mit ihr das Zimmer getauscht.
	Südfrankreich		法国南部	Sie fahren nach Südfrankreich.
der	Schwarzwald		黑森林（德国地名）	Wo liegt der Schwarzwald?
*die	Jugendherberge -n		青年旅店，客栈	In der Jugendherberge kann man billig wohnen.
*	streng	Adj.	严肃，严历，严格	Mein Professor ist sehr streng zu mir.
*die	Mitfahrgelegenheit -en		搭车机会	Man kann per Mitfahrgelegenheit reisen.
*das	Benzin -e		汽油	Er hat ein paar Euro für Benzin bezahlt.
	Freiburg		弗莱堡（德国地名）	Die Landschaft um Freiburg ist sehr schön.
	Feldberg		弗尔德堡（德国地名）	Ein Auto hat ihn bis zum Feldberg mitgenommen.
*das	Wandern		漫游	Das Wandern ist des Müllers Lust.

Einheit
9

KÖRPER UND GESUNDHEIT

Text: Beim Arzt

Intentionen: Meinungen ausdrücken, zustimmen oder
                    widersprechen

Hörverstehen: Ich bin krank

Leseverstehen: Was soll ich tun?

Grammatik: I. Reflexivpronomen und reflexive Verben

                    II. Objektsatz mit „dass", „ob"und Fragewörtern

der Kopf ¨ -e

das Ohr -en

das Auge -n

die Nase -n

der Mund ¨ -er

die Hand ¨ -e

das Bein -e

der Bauch ¨ -e

der Fuß ¨ -e

Ich kann nicht hören

Ich kann nicht sehen

Ich kann nicht sprechen

EÜ1 Ergänzen Sie.

Mit der _____ schreibt man.

Mit den _____ hört man.

Mit den _____ sieht man.

Mit den _____ läuft man.

Mit dem _____ spricht man.

Zahnärzte
Dr. Wolf Halder
Dr. Andreas Rösch
Gemeinschaftspraxis
Tel. 030-32136199

Dr. med. K.Lange
Augenarzt
Sprechzeiten

vormittags Mo-Do 9.00-13.00Uhr
nachmittags Mo Di Do 14.00-16.00Uhr

Dr. med. Eleonora Dietrich

Hals-Nasen-Ohren-Arzt

Sprechzeiten
nur nach telefonischer Anmeldung

Dr. med. Peter Lamm

Facharzt fur innere
Krankheiten

Alle Kassen

EÜ 2 **Zu welchem Arzt gehen Sie? Ergänzen Sie.**

Sie haben Zahnschmerzen.

Sie gehen zu _____.

Sie haben Ohrenschmerzen.

Sie gehen zum _____.

Ihre Augen tun weh. Sie

gehen zum _____.

Sie haben Magenprobleme.

Sie gehen zum _____.

Beim Arzt

Szene 1: Einen Termin machen
113

Sprechstundenhilfe:	Praxis Dr. Laun. Guten Tag.
Müller:	Guten Tag. Ich fühle mich sehr schlecht und hätte gern einen Termin.
Sprechstundenhilfe:	Gut. Am Mittwoch, den 23., um 13.30 Uhr ist noch ein Termin frei. Geht das?
Müller:	Erst am 23.? Das ist zu spät! Es geht mir schlecht!
Sprechstundenhilfe:	Moment bitte. Geht es am 21., um 10.30 Uhr?
Müller:	Ja, gut.
Sprechstundenhilfe:	Wie ist Ihr Name bitte?
Müller:	Lena Müller.

(5, 10 – Zeilennummern)

Szene 2: Im Wartezimmer
114

Müller:	Guten Tag. Mein Name ist Lena Müller. Ich habe um 10.30 Uhr einen Termin. Hier ist meine Versichertenkarte.
Sprechstundenhilfe:	Guten Tag, Frau Müller. Nehmen Sie bitte im Wartezimmer einen Moment Platz.
Lorenz:	Hallo, haben wir uns nicht schon mal gesehen?
Müller:	Ja? Meinen Sie?
Lorenz:	Haben Sie sich nicht letztes Jahr[1] eine Wohnung in der Unistraße angesehen?
Müller:	Doch, das stimmt. Da waren Sie auch! Wir haben uns damals über unsere Kinder unterhalten. Sie sehen jetzt aber blass aus. Was ist denn los mit Ihnen[2]?
Lorenz:	Ich habe immer Magenschmerzen. Ich kann gar nichts essen. Der Arzt ist der Meinung, dass ich für ein paar Tage ins Krankenhaus muss.

Müller:	Tut mir Leid. Wer kümmert sich dann um Ihre zwei Kleinen?
Lorenz:	Na ja, sie sind schon groß. Sich anziehen, sich die Zähne putzen, sich waschen ... Das können sie schon. Aber sie streiten sich sehr oft. Ich mache mir Sorgen um sie[3].
Sprechstundenhilfe:	Frau Lorenz, kommen Sie bitte ins Sprechzimmer!
Lorenz:	Oh, ich bin dran. Vielleicht treffen wir uns ja mal wieder. Gute Besserung!

20

Szene 3: Im Sprechzimmer

115

> Mir fehlt eigentlich nichts, nur Zeit und Geld.

Arzt:	Guten Tag, Frau Müller, nehmen Sie bitte Platz. Was fehlt Ihnen denn[4]?
Müller:	Guten Tag. Ich habe mich erkältet. Mein Hals tut mir schrecklich weh, und ich habe auch Kopfschmerzen, Schnupfen und Husten.
Arzt:	Haben Sie Fieber?
Müller:	Ja, heute Morgen hatte ich 38 Grad.
Arzt:	Seit wann haben Sie die Beschwerden?
Müller:	Seit Sonntag.
Arzt:	Haben Sie Medikamente genommen?
Müller:	Ja, ich bin zur Apotheke gegangen und habe mir Medikamente gegen Erkältung geholt. Die haben aber nicht geholfen.
Arzt:	Also dann möchte ich Sie mal untersuchen.
Müller:	Herr Doktor, wissen Sie, ich freue mich seit langem[5] auf meinen Urlaub. Wir wollen in fünf Tagen nach China fliegen. Ich bin mir jetzt nicht sicher, ob ich das kann. Mein Mann meint, dass ich besser nicht fliegen sollte[6].
Arzt:	Da hat er vielleicht Recht. Sie sollten sich eigentlich ausruhen. Machen Sie einmal den Mund auf und sagen Sie A!
Müller:	AAA ...
Arzt:	Ja, der Hals ist sehr rot. Machen Sie den Oberkörper frei, ich horche Sie jetzt mal ab .... Atmen Sie bitte mal tief ein! ... Atmen Sie jetzt aus! Tja, Sie haben eine Grippe. Ich verschreibe Ihnen ein Medikament. Kommen Sie in drei Tagen noch einmal vorbei ...

5

10

15

20

25

Hilfe zum Verstehen

1. letztes Jahr 去年
2. Was ist denn los mit Ihnen? 您到底怎么了？
3. Ich mache mir Sorgen um sie. 我担心他们。
4. Was fehlt Ihnen denn? 您哪里不舒服？（医生常常这样问病人）
5. seit langem 好久以来
6. Mein Mann meint, dass ich besser nicht fliegen sollte. 我丈夫认为，我还是不乘飞机的好。

Übungen

TÜ 1 Steht das im Text? Kreuzen Sie an.

		Ja	Nein
1)	Frau Müller hat einen Termin für den 23. bekommen.	●	●
2)	Frau Müller kann sofort ins Sprechzimmer gehen.	●	●
3)	Frau Müller hat sich letztes Jahr die Wohnung von Frau Lorenz angesehen.	●	●
4)	Frau Lorenz macht sich keine Sorgen um ihre Kinder.	●	●
5)	Frau Lorenz sagt Frau Müller, was ihr fehlt.	●	●
6)	Frau Lorenz und Frau Müller wollen sich einmal treffen.	●	●
7)	Frau Müller war in der Apotheke und hat Medikamente bekommen.	●	●
8)	Frau Müller will keine Medikamente mehr nehmen.	●	●
9)	Der Arzt meint, dass Frau Müller sich ausruhen soll.	●	●

TÜ 2 *Frau Müller ist krank* Antworten Sie.

1) Was ist los mit Frau Müller?
2) Was macht sie zuerst?
3) Wohin geht sie dann?
4) Wo muss sie zunächst warten?
5) Was macht sie danach（然后）im Sprechzimmer?
6) Was macht der Arzt?

TÜ 3 **Jens hat immer Ausreden. (Jens 总是有借口。) Bilden Sie Dialoge.**

Beispiel:

Zahnschmerzen haben

Lehrer: Wo ist Jens denn heute?

Klassensprecher: Er fehlt wieder. <u>Er hat Zahnschmerzen.</u>

1) sich erkältet haben

2) Kopfschmerzen haben

3) Fieber haben

4) seine Augen weh tun

5) sein Bein weh tun

6) Magenprobleme haben.

TÜ 4 ***Einen Termin machen* Ordnen Sie die Sätze zu einem Dialog.**

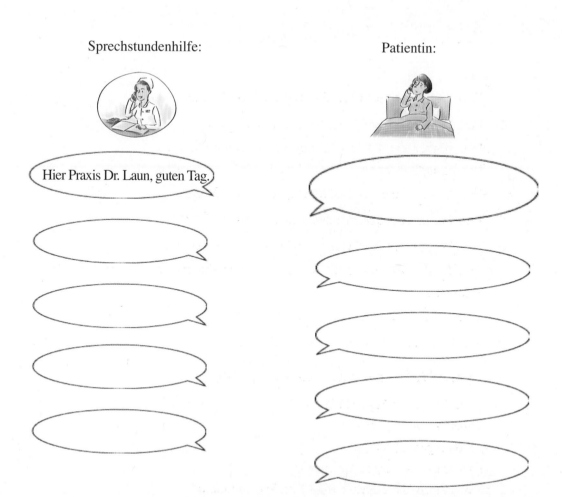

Auf Wiederhören.

Barbara Schmidt.

Heute? Tut mir Leid, heute haben wir keinen Termin mehr.

Um 15.30 Uhr. Und wie ist Ihr Name bitte?

Ich habe Kopfschmerzen. Ich hätte gern einen Termin. Geht es heute noch?

Moment bitte. Morgen Vormittag ... Nein, das geht auch nicht. Können Sie morgen Nachmittag kommen?

Und morgen Vormittag?

Ja, das geht. Vielen Dank. Um wie viel Uhr?

Hier Praxis Dr. Laun, guten Tag.

Auf Wiederhören. （打电话时使用）

TÜ 5 **Rollenspiel:** *Sie sind krank*. **Rufen Sie bei einer Praxis an und machen Sie einen Termin.**

TÜ 6 *Beim Arzt* **Bilden Sie Dialoge.**

Fangen Sie so an:

Arzt:	Guten Tag.
Frau Lorenz:	Guten Tag, Herr Doktor.
Arzt:	Na, was fehlt Ihnen denn?

Frau Lorenz:	Ich habe _____ und _____.
Arzt:	Seit wann haben Sie _____?
Frau Lorenz:	Seit zwei Tagen.
Arzt:	Haben Sie _____?
Frau Lorenz:	Gestern hatte ich 38,5 Grad.
Arzt:	Ja? Machen Sie _____ auf und sagen Sie A.
Frau Lorenz:	_____.
Arzt:	Ihr Hals ist sehr rot. Machen Sie _____ frei und ich horche Sie ab.
Frau Lorenz:	Und ich habe _____. Ich fühle mich müde.
Arzt:	Sie haben eine _____.
Frau Lorenz:	Ist das _____? Kann ich arbeiten gehen?
Arzt:	Sie dürfen nicht arbeiten. Sie müssen sich _____ und _____ bleiben.

Arzt: Ich verschreibe Ihnen _____ und schreibe
Sie _____.

Frau Lorenz: Danke schön, Herr Doktor.

im Bett
Fieber
krank
Grippe
den Oberköper

A ...
ausruhen
Medikamente
den Mund
die Beschwerden
keinen Appetit
Husten
Schnupfen
schlimm

TÜ 7 **Rollenspiel: Sie sind im Sprechzimmer. Sprechen Sie mit dem Arzt.**

TÜ 8 **Klicken Sie auf** *http://www.kaleidos.de/alltag/suche/arzt 03.htm* **und lesen Sie den Infotext dazu.**

TÜ 9 **Was ist in China anders? Diskutieren Sie.**

GÜ 1 *Früher und jetzt*（过去和现在）**Formen Sie um.**

Beispiel:

Früher hat meine Mutter mir die Hände gewaschen.

Jetzt wasche ich mir selber die Hände.

1) Früher hat meine Mutter mich angezogen. _____

2) Früher hat meine Mutter mir die Zähne geputzt. _____

3) Früher hat meine Mutter mich gewaschen. _____

4) Früher hat meine Mutter mir das Frühstück gemacht. _____

5) Früher hat meine Mutter mir Brötchen geholt. _____

6) Früher hat meine Mutter mir Kleidung gekauft. _____

GÜ 2 **„Mama, ich bin kein Kind mehr!"** **Ergänzen Sie.**

Mama: Morgens sollst du _____ doch die
Zähne putzen. Das Gesicht musst du
_____ auch waschen. Schau deine
Schwester an, sie wäscht _____ immer brav（乖乖地）das Gesicht. Und du
hast _____ auch nicht warm（暖和

的) angezogen.

Sohn:	Schau deine Tochter an! Sie hat _____ erkältet, und warum? Sie hat gestern einen Minirock (超短裙) getragen!
Mama:	Das verstehst du nicht. Sie will _____ schön machen! Jetzt putz _____ schnell die Zähne!
Sohn:	Du sollst, du musst, du darfst nicht! Ich habe keine Lust mehr! Ich gehe jetzt und treffe _____ mit meinen Freunden!
Mama:	Komm schon, streiten wir _____ nicht. Ich mache _____ einfach Sorgen um dich.
Sohn:	Mama, mach _____ doch keine Sorgen. Ich bin kein Kind mehr.

GÜ 3 *Ein Hündchen erzählt.*（小狗讲述。）Ergänzen Sie.

Eva macht morgens immer einen Spaziergang mit mir und Adam sitzt immer auf der Bank (板凳) und liest Zeitung.

Wir *sehen uns* jeden Tag.

Eines Tages _____ wir _____
endlich. Danach _____ wir _____ oft.
Ich _____ _____ auf jede Verabredung und
Eva auch.
Heute wollen wir _____ einen Film _____. Plötzlich _____
_____ Eva mit Adam und sie schweigen (沉默). Ich frage: „Warum
_____ ihr _____ nicht mehr?"
Dann _____ sie _____ _____ und sie _____ _____ wieder.

sich treffen
sich freuen
sich grüßen
sich … ansehen
sich unterhalten
sich streiten
sich ansehen
sich lieben

GÜ 4 Stimmt es? Formen Sie um.

Beispiel: Frau Glück kommt heute nicht.

Stimmt es, dass Frau Glück heute nicht kommt?

1) Sie ist heute Morgen vom Fahrrad gefallen.

2) Sie ist zu schnell gefahren.

3) Sie liegt jetzt im Krankenhaus.

4) Ihr Bein tut schrecklich weh.

5) Der Arzt muss sie untersuchen.

6) Sie soll zwei Wochen im Bett bleiben.

GÜ 5 *Beim Arzt* Formen Sie um.

Beispiel: beim Arzt sein

Weißt du, ob Frau Müller beim Arzt gewesen ist?

1) bei der Praxis anrufen

2) einen Termin bekommen

3) ihre Versichertenkarte mitnehmen

4) sofort ins Sprechzimmer gehen

5) mit dem Arzt sprechen

6) Medikamente in der Apotheke kaufen

GÜ 6 „ob" oder „dass"? Ergänzen Sie.

1) Sie weiß, _____ der Mann da sie gerade betrachtet.

2) Sie fragt sich, _____ sie ihn schon einmal gesehen hat.

3) Sie möchte wissen, _____ er Geld hat.

4) Sie fragt sich, _____ er zu ihr kommen will.

5) Sie denkt, _____ er endlich mal was tun soll.

a) Er denkt, _____ da ein schönes Mädchen ist.

b) Er findet, _____ sie schöne lange Haare hat.

c) Er fragt sich, _____ sie schon einen Freund hat.

d) Er meint, _____ sie genau die richtige Frau für ihn ist.

e) Er möchte wissen, _____ er ihr auch gut gefällt.

Eva über Adam

Adam über Eva

GÜ 7 *Krankenversicherung*（医疗保险）**Formen Sie um.**

Beispiel:

> Frau Zhang fragt: Wer muss in Deutschland eine Krankenversicherung haben?

> Frau Zhang fragt, wer in Deutschland eine Krankenversicherung haben muss.

1) Herr Zhang fragt: „Welche Krankenkassen（医疗保险机构）gibt es?"
2) Herr Ma fragt: „Wo bekommt man die Versichertenkarte?"
3) Herr Wang möchte wissen: „Was bezahlt die Krankenkasse nicht?"
4) Frau Li möchte wissen: „Wie macht man einen Termin beim Arzt?"
5) Frau Wang fragt: „Wie viel bezahlen die Studenten für ihre Krankenversicherung?"

GÜ 8 *Frau Müller ist krank* **Vervollständigen Sie den Text mit „dass", „ob" und Fragewörter.** (根据课文内容，用 dass, ob 或者 Fragewörter 完整句子。)

> *Der Arzt fragt Frau Müller ...*

Beispiel:　Der Arzt fragt Frau Müller, was ihr fehlt.

　　　　　　Der Arzt fragt Frau Müller, ob sie Fieber hat.

1) Frau Müller ist nicht sicher, ...
2) Frau Lorenz sagt Frau Müller, ...
3) Frau Müller fragt die Sprechstundenhilfe, ...
4) Die Sprechstundenhilfe sagt, ...
5) Der Arzt fragt Frau Müller, ...
6) Frau Müller sagt, ...
7) Der Arzt meint, ...

Intentionen

Meinungen ausdrücken, zustimmen oder widersprechen
表达观点, 同意, 反驳

Redemittel

- Das finde/meine/denke/glaube ich auch.
- Ja, das stimmt.
- Da bin ich ganz Ihrer Meinung,
  - Da haben Sie Recht.
  - Ich stimme Ihnen völlig zu.

- Ich denke /glaube/finde/meine, dass ...
- Ich bin der Meinung, dass ...
- Meiner Meinung nach ...

- Das finde/meine/denke/glaube ich (gar) nicht.
  - Nein, das stimmt nicht.
  - Da bin ich etwas anderer Meinung.
  - Ich kann Ihnen leider nicht zustimmen.

IÜ 1 *Peters Meinung* Bilden Sie Sätze.

Beispiel: Peter ist der Meinung / denkt / meint / findet, dass Alkohol gesund ist.

Nach einer Zigarettenpause kann man besser arbeiten.

Schlafen ist gut gegen Erkältung.

Liebe (爱) ist auch Medizin.

Alkohol ist gesund.

Nach einem Bier kann man gut schlafen.

Medikamente helfen immer.

Eine Frau mit einer Zigarette (香烟) in der Hand ist modern.

Ich meine, dass Deutschlernen gesund ist.

IÜ 2 **Sind Sie auch der Meinung? Stimmen Sie zu oder widersprechen Sie. Bilden Sie Dialoge. Benutzen Sie die Sätze in der IÜ 1.** （赞同还是反对？请用 IÜ 1 编对话。）

Beispiel:

A: Ich bin der Meinung / denke / meine / finde, dass Alkohol gesund ist.

B: Das finde ich auch.

B: Da bin ich etwas anderer Meinung.

Ich bin krank

🎧 **HÜ 1** **Wo finden die Szenen (1–4) statt? Hören Sie einmal und ordnen Sie zu.** （下列场景各是在什么地方发生的？）
117-120

Szene 1   a. am Telefon

Szene 2   b. im Sprechzimmer

Szene 3   c. zu Hause

Szene 4   d. im Wartezimmer

🎧 ⊗ **HÜ 2** **Wer spricht? Hören Sie noch einmal und kreuzen Sie an.**
117-120

	Szene 1	Szene 2	Szene 3	Szene 4
Sprechstundenhilfe				
Frau Schmidt				
Herr Schmidt				
der Arzt				

HÜ 3 Steht das im Hörtext? Kreuzen Sie an.

		Ja	Nein
1)	Frau Schmidt hat Kopf- und Halsschmerzen.	●	●
2)	Sie wollte morgen kommen.	●	●
3)	Die Praxis hat morgen noch einen Termin frei.	●	●
4)	Sie hat einen Termin für morgen bekommen.	●	●
5)	Sie kann sofort ins Sprechzimmer gehen.	●	●
6)	Seit gestern hat sie die Beschwerden.	●	●

Im Internet bin ich niemals krank.

Leseverstehen

Was soll ich tun?

Das Cyberdoktor-Team beantwortet Leserfragen zur Krankheit. （医生团队回答病人提问。）

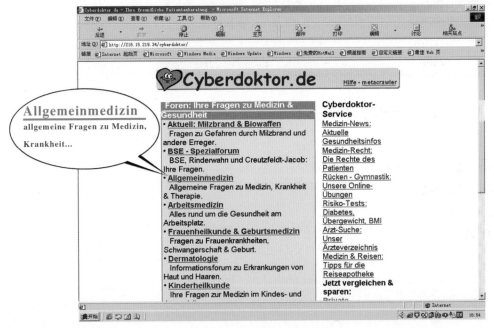

Foren (论坛) : **Allgemeinmedizin**

Barbara Schmidt
06/02 17:25

Schlaflosigkeit   Antwort schreiben
Hallo, Cyber-Doc,
seit 3 Jahren schlafe ich nachts sehr schlecht. Am
Morgen bin ich immer sehr müde. Ich will aber
keine Schlaftabletten nehmen. Was soll ich dagegen tun?

5

H. Moll
06/02 20:06

Rückenschmerzen   Antwort schreiben
Lieber Doktor,
ich habe immer Schmerzen im Rücken, besonders
abends. Meine Frau sagt, dass ich jeden Morgen Sport
treiben soll. Ich habe das gemacht, aber es hilft nicht.
Was soll ich denn tun?
Danke im Voraus[1].

10

Herbert Lorenz
06/02 18:23

Kopfweh   Antwort schreiben
Liebes Team,
mein Kopf tut immer so weh. Ich kann gar nicht arbeiten.
Dann nehme ich auch mal eine Tablette. Mein Arzt sagt
nur, dass ich mehr Sport treiben soll. Aber ich bleibe
lieber zu Hause. Was meinen Sie?
Danke für Ihren Rat.

15

20 **Antwortbriefe**

Cyberdoktor
07/02 20:28

Re: _____
   Hallo,
zu Ihren Schmerzen kann ich leider nicht viel sagen.
Das kann schlimmer werden[2]! Eigentlich dürfen Sie
nicht zu viel Sport machen. Warten Sie nicht mehr und
gehen Sie sofort zum Arzt.

Mit freundlichen Grüßen
Ihr Cyberdoktor-Team

25

Cyberdoktor	Re: _____
30 07/02	Hallo,
20:28	Ihr Arzt hat Recht. Sie sollen mehr an die frische Luft
	gehen. Trinken Sie keinen Kaffee und keinen Alkohol.
	Nehmen Sie auch keine Tabletten mehr.
	Alles Gute wünscht
35	Ihr Cyberdoktor-Team

Cyberdoktor	Re: _____
07/02	Hallo,
20:28	wir können verstehen, dass Sie keine Schlaftabletten
	nehmen wollen! Aber Sie müssen unbedingt etwas
40	gegen Ihre Schlaflosigkeit tun, denn Sie können dadurch
	allmählich krank werden. Gehen Sie abends spazieren
	und trinken Sie keinen Kaffee. Ein Glas Wein, eine
	Flasche Bier oder ein Glas Milch mit Honig können
	vielleicht helfen.
45	Gute Besserung wünscht
	Ihr Cyberdoktor-Team

Hilfe zum Verstehen

1. Danke im Voraus! 预先向您致谢！
2. Das kann schlimmer werden! 这可能会严重下去！
   schlimmer 为形容词 schlimm 的比较级。werden: 变得。

LÜ 1 Auf welchen Leserbrief beziehen sich jeweils die drei Antwort-briefe vom Cyberdoctor?（三封医生回信各是针对哪封读者来信的？） Ergänzen Sie.

1) Re: _____

2) Re: _____

3) Re: _____

LÜ 2 *Infos aus dem Lesetext* Kreuzen Sie an.

Barbara Schmidt	H. Moll	Herbert Lorenz	
			hat immer Kopfschmerzen.
			schläft sehr schlecht.
			nimmt oft mal Tabletten.
			will keine Schlaftabletten nehmen.
			hat besonders abends immer Schmerzen im Rücken.
			hat jeden Morgen Sport getrieben.

LÜ 3 *Stichwörter aus dem Lesetext* Tragen Sie ein.

	Was soll er / sie machen?	Was soll er / sie nicht machen?
H. Moll		
B.Schmidt		
H. Lorenz		

I. Reflexivpronomen und reflexive Verben （反身代词与反身动词）

如果作宾语的人称代词在本句中与主语为同一人或同一事物时，这种代词称为反身代词。与之连用的动词称为反身动词。

1 Das Reflexivpronomen

人称 \ 数 格	Sing			Pl.	
	D	A		D	A
ich	mir	mich	wir	uns	uns
du	dir	dich	ihr	euch	euch
er/sie/es	sich	sich	sie	sich	sich
Sie	sich	sich	Sie	sich	sich

2 Reflexive Verben

反身动词分为真正的反身动词和非真正的反身动词两种。

真正的反身动词		非真正的反身动词	
A	D	作反身动词	作非反身动词
sich freuen: Ich freue mich auf meinen Urlaub.	sich(D) etw(A) ansehen: Er sieht sich abends gern einen Film im Fernseher an.	sich waschen: Die Mutter wäscht sich.	jn. waschen: Die Mutter wäscht das Kind.
真正的反身动词中的反身代词与动词构成一个不可分割的整体。如果去掉反身代词则这类动词就无法使用或词义发生改变。		这类动词在词义不变的情况下所支配的宾语可以指主语本身，也可以指其他人或事物，当宾语是指主语本身时，就用反身代词作宾语，构成反身动词。	

II. Objektsatz mit „dass", „ob" und Fragewörtern（以 dass，ob 和疑问词引导的宾语从句）

德语从句有以下特征：

a. 从句一般由一引导词引导，

b. 从句的谓语位于从句的句末，称之为句末语序或尾语序，

c. 主句与从句用逗号分开。

Hauptsate（主句）	Nebensatz（从句）
主句（正、反语序）	引导词 +（主）+ 其他 + 谓语（句末语序）
Monika sagt,	**dass** sie Medizin <u>studieren will</u>.
Ich habe gehört,	**dass** Hans die Prüfung <u>bestanden hat</u>.
Wir hoffen,	**dass** du uns bald wieder <u>besuchst</u>.
Sie möchte wissen,	**ob** wir morgen Zeit <u>haben</u>.
Er fragt,	**wann** die Vorlesung von Professor Müller <u>beginnt</u>.
Ich weiß nicht,	**was** er in Deutschland <u>studiert</u>.
Wissen Sie,	**ob** heute noch ein Zug nach Hamburg <u>fährt</u>?
Entschuldigen Sie bitte,	**dass** ich zu spät gekommen <u>bin</u>!
Sage ihm,	**dass** ich morgen keine Zeit <u>habe</u>!
Können Sie mir sagen,	**wo** Herr Müller jetzt <u>ist</u>?

Nebensatz（从句）	Hauptsatz（主句）
引导语 +（主）+ 其他 + 谓（句末语序），	谓 + 主 + 其他
Ob er morgen Zeit hat,	weiß ich nicht.
Dass er Geld hat,	weiß ich.

注：1）整个主从复合句的标点符号按主句的句子类型而定。

2）宾语从句一般位于主句之后。

Vokabeln

🎧 Einführung
121

*der	Körper -	身体，躯体	Er treibt oft Sport und hat einen gesunden Körper.
*die	Gesundheit o. Pl.	健康	Trinken wir auf die Gesundheit unserer Eltern!
*der	Kopf ⸚e	头，顶端	Er betrachtet mich von Kopf bis Fuß.
*das	Ohr -en	耳，耳朵	Das Lied geht leicht ins Ohr.
#	riechen	闻，嗅	Es riecht nach Zwiebeln.
*das	Bein -e	腿	Mein Schlüssel bekommt Beine.
*der	Bauch ⸚e	腹部，肚子	Das Kind schläft gern auf dem Bauch.
*der	Zahn ⸚e	牙，牙齿	Das Baby bekommt Zähne.
*der	Schmerz -en	疼痛，痛苦	Er arbeitet immer am Computer und bekommt dann Augenschmerzen.
die	Gemeinschafts-praxis ...xen	联合诊所	Frau Rösch und Herr Andreas haben eine Gemeinschaftspraxis.
*der	Magen ⸚	胃，胃部	Mein Magen tut mir weh.

🎧 Text
122

*die	Sprechstunden-hilfe -n		门诊医生女助理	Die Sprechstundenhilfe hilft dem Arzt.
*	sich fühlen		感觉，感到	Ich fühle mich gut.
*der	Moment -e		片刻，瞬息	Warten Sie bitte einen Moment!
*die	Versichertenkarte -n		（医疗）保险卡	Haben Sie Ihre Versichertenkarte?
*das	Wartezimmer -		候诊室	Frau Müller soll im Wartezimmer einen Moment Platz nehmen.
*	letzt-	Adj.	最后的，最近的	Heute ist der letzte Tag.
*	sich D etw A an/sehen (sieht an) +A		仔细看，观看	Letztes Jahr hat sie sich eine Wohnung bei mir angesehen.

*	stimmen		对，正确，相符	Das stimmt.
*	damals	Adv.	那时侯，当时	Damals haben wir uns über unsere Kinder unterhalten.
*	sich unterhalten (unterhält sich) + über A		聊天，谈天，说话	Karl unterhält sich mit Maria über die Geburtstagsfeier.
*	blass	Adj.	苍白的，无血色的	Du siehst aber blass aus!
*	los	Adj/ Adv.	发生，开始	Was ist denn los mit Ihnen?
*	gar	Adv.	一点也，根本，完全；甚	Ich habe gar nichts gehört.
*	nichts	Pron.	一点也没有，什么也没有	
*die	Meinung -en		看法，意见，观点	Der Arzt ist der Meinung, dass ich ins Krankenhaus muss.
*	ein paar	Pron.	几个，若干	Sie müssen für ein paar Tage im Krankenhaus bleiben.
*das	Krankenhaus ⸚er		医院	Frau Müller liegt im Krankenhaus.
*	sich kümmern + um A		关心，照料	Wer kümmert sich denn um sie?
*	(sich) an/ziehen		给……穿衣，穿	Das Kind kann sich schon selber anziehen.
*	putzen +A		擦，刷	Das Kind putzt sich die Zähne.
*	(sich) waschen (wäscht sich)		给……洗脸，洗澡，洗	Können sich deine Kinder selber waschen?
*	sich streiten		争吵，争执	Die Kinder streiten sich oft.
*die	Sorge -n		忧虑，担心	Die Mutter macht sich einfach Sorgen um die Kinder.
*das	Sprechzimmer -		诊疗室	Kommen Sie bitte ins Sprechzimmer!
*	dran	Adv.	轮到，挨到	Oh, ich bin schon dran.
*	vielleicht	Adv.	也许	Vielleicht treffen wir uns ja mal wieder.
*	sich treffen		碰面，碰头	Sie treffen sich im Sprechzimmer.
*	sich erkälten		感冒，着凉	Ich habe mich erkältet.
*der	Hals ⸚e		脖子，咽喉	Mein Hals tut mir weh.
#	schrecklich	Adv.	很，相当；可怕的	Der Winter dort ist schrecklich kalt.
*	weh/tun (tut weh)		疼痛，痛苦	Mein Kopf tut mir schrecklich weh.
*der	Schnupfen -		伤风，感冒；流鼻涕	Haben Sie Schnupfen?
*der	Husten o.Pl.		咳嗽	Schnupfen habe ich nicht, aber ich habe Husten.

*das	Fieber -		发热，发烧	Sie haben Fieber.
*das	Grad -/-e		度，度数，角度；程度	Heute früh hatte ich 38 Grad.
#die	Beschwerde -n		疾苦，病痛；投诉	Seit wann haben Sie die Beschwerden?
*das	Medikament -e		药，药物	Haben Sie dann Medikamente genommen?
*die	Apotheke -n		药房，药店	Er holt sich Medikamente aus der Apotheke.
*	gegen +A	Präp.	防，治，反对，违反	Der Saft ist gegen Husten.
*die	Erkältung -en		感冒，着凉	Die Tabletten sind gegen die Erkältung.
*	untersuchen +A		检查，调查	Der Arzt untersucht Frau Müller.
*	sich freuen		感到高兴	Ich freue mich auf meinen Urlaub.
*	sicher	Adv./Adj.	有把握的，肯定的	Ich bin mir nicht sicher.
*	ob	Konj.	间接疑问从句的引导词	Ich weiß nicht, ob ich mitfahren darf.
*	fliegen		飞，飞翔	Er ist ins Ausland geflogen.
*	dass	Konj.	叙述从句的引导词	Er meint, dass ich besser nicht fliegen sollte.
*	besser	Adv./Adj.	较好的，更好的	Sein Deutsch ist gut, aber ihr Deutsch ist besser.
*das	Recht o.Pl. (Recht haben)		说得对，做得对	Da hat er vielleicht Recht.
*	sich aus/ruhen		（劳动后）休息	Sie haben den ganzen Tag gearbeitet und sollen sich jetzt ausruhen.
*der	Oberkörper -		上身	Machen Sie bitte Ihren Oberkörper frei.
#	ab/horchen +A		对……听诊	Der Arzt horcht den Kranken gerade ab.
*	ein/atmen		吸气	Atmen Sie bitte tief ein!
*	tief	Adj.	深的	
*	aus/atmen		呼气	Atmen Sie bitte aus!
*die	Grippe o. Pl.		流行性感冒	Sie haben eine Grippe.
	verschreiben		开（药）	Der Arzt verschreibt ihr/der Kranken ein Medikament.
*	vorbei/kommen		来一下，从……旁边过	Kommen Sie in drei Tagen noch einmal vorbei.

Übungen

*der	Arm -e		（胳）臂	Die Mutter nimmt ihr Kind auf den Arm.
*	müde	Adj.	困倦的，疲倦的，疲劳的	Am Morgen bin ich immer sehr müde.
*	schlimm	Adj.	严重的，糟糕的，很坏的	Ist das schlimm?
*	selber	Pron.	自己	Jetzt wasche ich mir die Kleidung selber.
*	morgens	Adv.	（在）早上，（在）清晨，（在）上午	Morgens stehe ich um 6 Uhr auf.
*	lieben +A		爱	Sie sehen sich an und lieben sich wieder.
*	krank/schreiben		开病假证明	Ich schreibe Sie krank.
*	plötzlich	Adj.	突然的，意外的	Plötzlich schweigen Eva und Adam.

Intentionen

#	zu/stimmen (D.)		同意，赞成	Ich stimme Ihnen zu.

Leseverstehen

der	Cyberdoktor -en	虚拟（网上）医生 Den	Den Cyberdoktor kann man fragen, aber nicht sehen.
*	beantworten +A	回答，答复	Beantworten Sie bitte die Fragen zum Text.
*der	Leser -	读者	Ich bin Leser der Morgenpost.
*die	Frage -n	问题，提问	Ich habe eine Frage.
*die	Krankheit -en	病，疾病	Diese Krankheit ist selten.
die	Schlaflosigkeit o. Pl.	失眠	Barbara leidet an Schlaflosigkeit.
*	tun (tut)	做，干	Was soll ich tun?
*der	Rücken -	背	Herr Moll hat immer Schmerzen im Rücken.
*die	Luft ⸚e	空气	Der Arzt meint, dass ich morgens an die frische Luft gehen soll.

Einheit 10

ORIENTIERUNG IN DER STADT

Text: Auskunft auf der Straße
Intentionen: Nach dem Weg fragen und den Weg beschreiben
Hörverstehen: Wege suchen und finden
Leseverstehen: Stadtrundfahrt in Hangzhou
Grammatik: I. Präpositionen: über, durch, um, entlang,
                     gegenüber
                  II. Wiederholung der Modalverben

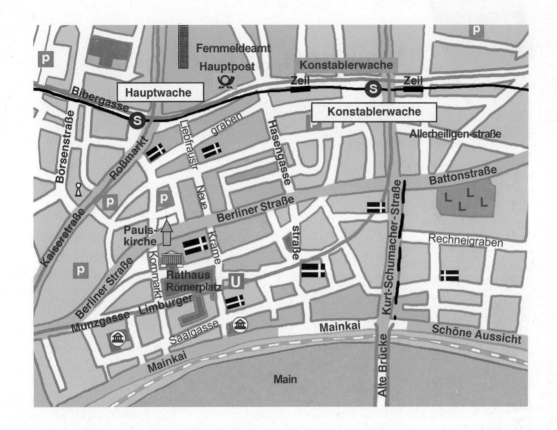

EÜ 1 **Orientierung in Frankfurt am Main. Was passt zusammen?**

1) Wo ist die Alte Brücke?

2) Wo ist das Rathaus?

3) Wo ist die U-Bahnstation-
   Konstablerwache?

4) Wo ist die Paulskirche?

5) Wo ist die Hauptpost?

a) An der Kreuzung von der Zeil und der
   Kurt-Schumacher-Straße.

b) Gegenüber dem Rathaus.

c) Über dem Fluss.

d) Neben dem Fernmeldeamt.

e) Am Römerplatz.

EÜ 2 **Welche deutschen Städte kennen Sie noch? Klicken Sie auf**
www.stadtplandienst.de oder *http://maps.google.com* und
suchen Sie die Stadtpläne.

Auskunft auf der Straße

Wang:	Entschuldigen Sie, wie komme ich zur Stadtbibliothek?
Passant 1:	Tut mir Leid, ich bin auch fremd hier. Das weiß ich auch nicht.
Wang:	Ach so.
	...
Wang:	Verzeihung! Wissen Sie vielleicht, wo die Stadtbibliothek ist?
Passant 2:	Stadtbibliothek, Stadtbibliothek? Kenne ich nicht. Die gibt es hier nicht.
Wang:	Nein? Aber hier steht: Stadtbibliothek. Dort treffe ich mich mit meinen Freunden.
Passant 2:	Zeigen Sie mal! Ach so! Sie wollen zur Staatsbibliothek? Nicht Stadtbibliothek! Das ist doch ziemlich weit. Sie liegt am Karlsplatz.
Wang:	Aber wie komme ich denn dahin?
Passant 2:	Ja, das ist kompliziert. Wie soll ich es Ihnen erklären? Sie kennen bestimmt den Hauptbahnhof, oder?
Wang:	Leider nicht. Ich bin nicht von hier[1].
Passant 2:	Also Sie müssen zuerst den Bus Linie 16 in Richtung Hauptbahnhof nehmen. Am Hauptbahnhof steigen Sie in die S6[2] ein und dann fahren vier oder fünf Stationen bis zum Rathaus[3]. Dort steigen Sie in die U2[4] um und fahren bis zum Karlsplatz.
Wang:	Ach, zuerst Bus 16, dann S6, danach U2 bis zum Karlsplatz. Dort ist dann die Bibliothek?
Passant 2:	Nein, da ist die Bahnstation „Karlsplatz". Sie müssen noch 100 Meter geradeaus bis zum[4] Karlsplatz gehen. Auf dem Platz steht die Paulskirche. Gehen Sie um die Kirche, dann sehen Sie schon die Staatsbibliothek.
Wang:	Na ja, gar nicht so einfach. Ich frage da später lieber noch mal. Aber ich sehe hier keine Busse. Wo finde ich die Bushaltestelle?

Passant 2:	Das ist einfach. Hier an der Kreuzung biegen Sie rechts ab in die Schillerstraße. Gehen Sie die Straße entlang, zuerst über eine Brücke, dann durch das Stadttor, danach an einem Theater vorbei. Auf der linken Seite sehen Sie schließlich eine Post. Die Haltestelle ist gleich vor der Post.
Wang:	Ist es weit? Wie lange muss ich gehen?
Passant 2:	Fünf Minuten vielleicht. Ich gehe sowieso in die Richtung. Ich kann Sie ein Stück begleiten.
Wang:	Oh, das ist aber sehr nett von Ihnen. Vielen Dank.
	...
Passant 2:	So, sehen Sie, auf der anderen Seite der Straße ist die Bushaltestelle.
Wang:	Ja, da kommt ein Bus. Ich muss mich beeilen.
Passant 2:	Moment. Die Ampel ist jetzt rot.

35

40

45

> Rechts, links, geradeaus. Verdammt noch mal. Wo geht's denn lang?

Hilfe zum Verstehen

1. Ich bin nicht von hier. 我不是本地人。
2. S6: S–Bahn Linie 6 轻轨 6 号线
3. bis zum ... 直到，到……（为止）
4. U2: U–Bahn 2 地铁 2 号线

Übungen

⊗ **TÜ 1 Steht das im Text? Kreuzen Sie an.**

	Ja	Nein
1) Der erste Passant kann Wang helfen.	●	●
2) Vor der Stadtbibliothek trifft sich Wang mit seinen Freunden.	●	●

3) Der zweite Passant gibt gern Auskunft.		
4) Wang ist fremd hier.		
5) Die Staatsbibliothek ist an der Bahnstation Karlsplatz.		
6) Zu Fuß braucht man nur fünf Minuten zur Staatsbibliothek.		
7) Der zweite Passant begleitet Wang zur Bushaltestelle.		

TÜ 2 Was passt zusammen?

1) Entschuldigung, wie komme ich zum Rathaus?

2) Ich kann Sie ein Stück begleiten.

3) Verzeihung, wo ist die Uni?

4) Ist es sehr weit von hier?

a) Tut mir Leid, ich bin auch fremd hier.

b) Nein, zu Fuß fünf Minuten.

c) Zum Rathaus? Immer geradeaus, an der zweiten Ampel links.

d) Das ist aber sehr nett von Ihnen.

TÜ 3 Wie kommt man zur Bushaltestelle? Beschreiben Sie.

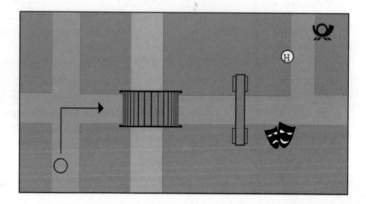

TÜ 4 Wie kommt Wang Hongliang zur Staatsbibliothek? Erzählen Sie.

Benutzen Sie „zuerst", „dann", „danach" und „schließlich".

Bus 16 → Hauptbahnhof

S6 → Rathaus

U2 → Bahnstation „Karlsplatz"

100 Meter geradeaus → Karlsplatz

Fangen Sie so an: Er nimmt zuerst den Bus Linie 16 und fährt bis zum Hauptbahnhof. ...

TÜ 5 Wie kommt Wang Hongliang zum Fernmeldeamt? Ergänzen Sie.

Wang Hongliang ist _____ in der Stadt. Er sucht das Fernmeldeamt und bittet auf der Straße um _____. Der erste Passant sagt, dass er zuerst mit dem Bus Linie 208 fahren und dann in die U3 _____ muss. Der zweite Passant erklärt ihm den _____ zu Fuß dorthin: zuerst _____, dann an der _____ nach links _____, dann wieder geradeaus bis zur Kreuzung und dann rechts. Auf der einen _____ ist eine Post. _____ der Post ist das Fernmeldeamt. Das ist _____ und Wang Hongliang glaubt nicht, dass er den Weg _____ kann.

finden
fremd
Ampel
Weg
gegenüber
Seite
ab/biegen
kompliziert
geradeaus
Auskunft
umsteigen

TÜ 6 Ich bin am Goethe-Institut (Hackescher Markt). Wie komme ich ...? Bilden Sie Dialoge.

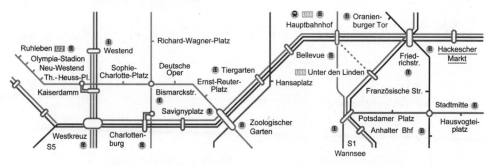

Beispiel : zur TU Berlin (Ernst-Reuter-Platz) (S-Bahn, Richtung Westen, bis zum Zoologischen Garten, U2, Richtung Ruhleben, eine Station)

(A) Wie komme ich denn <u>zur TU Berlin</u>?

(B) Steigen Sie in die <u>S-Bahn Richtung Westen</u> ein und fahren Sie <u>bis zum Zoologischen Garten</u>. Steigen Sie dann in die <u>U2 Richtung Ruhleben</u> um und fahren Sie <u>eine Station</u> weiter.

1) zur Deutschen Oper (Deutsche Oper) (S-Bahn, Richtung Westen, bis zum Zoologischen Garten, U2, Richtung Ruhleben, zwei Stationen)

2) zum Olympia-Stadion (Olympia-Stadion) (S-Bahn, Richtung Westen, bis zum Zoologischen Garten, U2, Richtung Ruhleben, acht Stationen)

3) zur Humboldt Universität Berlin (Unter den Linden) (S-Bahn, Richtung Westen, bis zur Friedrichstr., S1, Richtung Wannsee, eine Station)

4) zur Staatsbibliothek (Potsdamer Platz) (S-Bahn, Richtung Westen, bis zur Friedrichstr., S1, Richtung Wannsee, zwei Stationen)

GÜ 1 **Nach dem Weg fragen.**

Ergänzen Sie Präpositionen.

In Ulm, um Ulm und um Ulm herum.

1) **A** Entschuldigung, wo ist hier die Post?

B Sehen Sie, da ist die Michaelskirche. Gehen Sie _____um_____ die Kirche. _____ der Kirche ist die Post.

2) **A** Verzeihung, wo ist die nächste Bushaltestelle?

B Gehen Sie _____ die Straße. _____ der Post ist eine.

3) **A** Entschuldigung, wie komme ich zum Postmuseum?

B Gehen Sie zuerst _____ die Ecke, da ist die Kaiserstraße. Dann etwa 30 Meter die Straße _____.

4) **A** Bitte, wo ist der nächste Parkplatz?

B Da müssen Sie _____ das Stadttor fahren.

durch
entlang
hinter
über
um
vor

GÜ 2 **Ergänzen Sie.**

durch
entlang
an
mit
bis
in über
gegenüber
am

Empfäner:	Julia Weichmann
Absender:	WANG Hongliang
Thema:	Weg zu mir

Liebe Julia,

Wie geht's dir? Wir haben uns lange nicht gesehen. Mittlerweile (在这期间) bin ich umgezogen. Meine Wohnung liegt im Grünen, ein bisschen weit_____vom_____Stadtzentrum entfernt. Du kannst _____ dem Fahrrad zu mir kommen. Fahr zuerst die Badstraße _____, immer geradeaus _____ zur zweiten Kreuzung. Bieg _____ der Kreuzung links _____ die Heußstraße ab. Dann fährst du _____ das Stadttor und danach _____ eine Brücke. Da kommst du _____ Supermarkt „Kaisers" vorbei. Meine Wohnung ist direkt _____ dem „Kaisers".

Ich freue mich auf deinen Besuch.

Bis Samstag

Hongliang

GÜ 3 Schulordnung: „dürfen", „müssen" oder „können"? Bilden Sie Sätze.

Schulordnung

1 Die Schüler müssen vor acht Uhr in der Schule sein.

2 Die Lehrer können fünf Minuten später kommen.

3 Im Unterricht kann der Lehrer immer fragen und die Schüler müssen immer antworten.

4 In der Pause müssen die Schüler draußen bleiben.

5 Die Schüler müssen jeden Tag Hausaufgaben machen.

der Direktor

Beispiel: **Schulordnung**

1 (Schüler: bis halb zehn schlafen)

   Die Schüler können bis halb zehn schlafen.

2 (Lehrer: fünf Minuten früher kommen) _____

3 (Schüler: fragen; Lehrer: antworten) _____

4 (Schüler: im Klassenzimmer Fußball spielen) _____

5 (Schüler: Hausaufgaben nicht machen) _____

6 ...

die Schüler

GÜ 4 *Führerschein* Ergänzen Sie „darf ", „kann", „muss" oder „will"

In Deutschland _____ man nicht allein Auto fahren lernen. Man _____ in eine Fahrschule gehen. Thomas _____ jetzt den Führerschein machen, aber er ist noch nicht 18 Jahre alt. Er _____ noch drei Monate warten. Dann _____ er die Prüfung machen und Auto fahren.

GÜ 5 „wollen", „möchten", „sollen", „dürfen", „müssen" oder „können"? Ergänzen Sie.

1) **A** Hast du die Telefonnummer von Hans? Ich _____ ihn dringend anrufen.

   B Nein, die habe ich leider auch nicht. Du _____ doch Monika fragen.

2) **A** Es ist schon ziemlich spät. Wir _____ gehen.

   B Moment, ich _____ noch ein Foto machen. So, jetzt _____ wir gehen.

3) **A** _____ Sie ein Glas Whisky?

   B Nein, danke. Der Arzt sagt, ich _____ keinen Alkohol trinken.

4) **A** _____ du morgen mit uns die neue Wohnung besichtigen?

   B Da _____ ich leider nicht. Ich _____ zum Arzt.

5) **A** Michael, bist du immer noch nicht fertig mit deinen Hausaufgaben?

   B Die _____ ich nicht machen.

   A Was _____ du denn schreiben?

   B Sätze mit Modalverben!

6) **A** Sag mal, Bettina gibt am Wochenende eine Party. _____ ich was mitbringen?

   B Du _____ nicht, _____ aber was zum Essen und Trinken mitbringen.

7) **A** _____ Sie mir bitte helfen? Ich _____ ein Geschenk für meinen Mann kaufen und weiß nicht, was.

   B Wie teuer _____ es denn sein?

GÜ 6 Verkehrs-Quiz (交通知识竞赛) : Was kann, muss, darf man hier (nicht) tun? Bilden Sie Sätze.

Beispiel: STOP (halten) <u>Hier muss man halten.</u>

1) **(70)** (70 fahren) _____ . 3) ⊗ (nicht halten) _____ .

2) ↱ (rechts abbiegen) _____ . 4) ⚠ (vorsichtig fahren) _____ .

5) (parken) _____ . 7) (in den Bus einsteigen) _____.

6) (nur zu Fuß gehen) _____ . 8) (weiterfahren) _____.

 Intentionen

Nach dem Weg fragen und den Weg beschreiben

问路并描述行走路线

 Redemittel

- Entschuldigen Sie bitte,
- wie komme ich zu .../in ...?
- Wie finde ich ...?
- Wo ist ...?

- Gehen Sie geradeaus / die Straße entlang bis zur nächsten Kreuzung / über die Brücke / durch das Stadttor / an ... vorbei / in Richtung ...

- Biegen Sie links / rechts ab. Nehmen Sie bitte den Bus Linie ... Fahren Sie mit dem Bus Linie ... / mit der U-Bahn ... / S-Bahn ...

IÜ 1 **In einer fremden Stadt** *Ergänzen Sie.*

A Entschuldigung, _____ Hauptbahnhof?

B Zum Hauptbahnhof? Das ist aber weit. Hm, _____ geradeaus die Müllerstraße _____, dann _____ den Karlsplatz. Dort ist eine Bushaltestelle.

A Welchen Bus soll ich denn _____?

B Fahren Sie _____ Linie 100, und fahren Sie drei Stationen, _____ das Brandenburger Tor und _____ Theater vorbei.

A Also geradeaus, die Müllerstraße, Karlsplatz, Linie 100, ... Oh, Gott!

B Sie steigen an der Haltestelle „Unter den Linden" aus.

A Und dann?

B Dann _____ Sie links _____ und gehen Sie _____ Norden etwa fünf Minuten. Dort kann man den Hauptbahnhof schon sehen.

A Vielen Dank!

an einem
biegen ... ab
mit dem Bus
durch
gehen Sie
entlang
in Richtung ...
über
nehmen
wie kommt man zum

IÜ 2 **Rollenspiel: Sie geben Auskunft. Benutzen Sie dabei den Stadtplan in der „Einführung". (S.203)**

Ihr Freund/Ihre Freundin ist an der Hauptwache in Frankfurt und

1) möchte einen Brief nach China schicken.

2) ist krank und möchte zur Praxis in der Allerheiligenstraße.

3) sucht die U-Bahnstation „Konstablerwache".

4) hat einen Termin am Römerplatz.

5) möchte den Park an der Battonstraße besichtigen.

Alle Wege führen nach Rom.

Wege suchen und finden

Hörverstehen

Dialog 1

🎧 **HÜ 1 Hören Sie Dialog 1 zweimal und zeichnen Sie den Weg ein.**
127

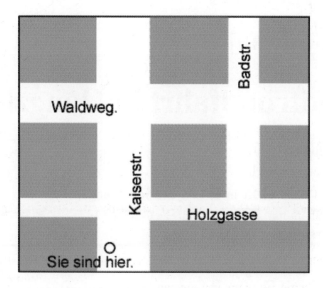

Dialog 2

🎧 **HÜ 2 Hören Sie Dialog 2 zweimal und kreuzen Sie an.**
128

		Ja	Nein
1)	Der erste Passant gibt gern Auskunft.	●	●
2)	Man geht zuerst geradeaus, und dann nach rechts über den Rathausplatz. Dann etwa 200 Meter geradeaus, die Schulstraße entlang.	●	●
3)	Die Bushaltestelle ist neben der Schule.	●	●

Dialog 3

> Mit dem Mund kommt man auf die Welt.

HÜ 3   Hören Sie Dialog 3 zweimal und antworten Sie.

129

1) Ist Wang Hongliang jetzt bei Julia angekommen?

2) Warum ist er wieder nach Hause zurückgelaufen?

3) Welchen Bus hat er genommen?

4) Wo ist er in die U6 umgestiegen?

5) Hat er die U6 in die richtige Richtung genommen?

Leseverstehen

Stadtrundfahrt in Hangzhou

Höhepunkte Chinas

Reise-HC1 20 Tage 18 Nächte

Deutschland ✈ Peking 🚆 Xi'an 🚆 Luoyang 🚆 Nanjing 🚆 Suzhou 🚆 Shanghai 🚆 Hangzhou ✈ Guilin ✈ Guangzhou 🚢 Hongkong ✈ Deutschland

Reise-HC2 16 Tage 14 Nächte

Deutschland ✈ Peking 🚆 Xi'an 🚆 Luoyang 🚆 Nanjing 🚆 Suzhou 🚆 Shanghai 🚆 Hangzhou ✈ Deutschland

(http://www.chinaevent.de)

Guten Morgen, meine Damen und Herren! Mein Name ist Liu Fang und ich bin Ihre Reiseleiterin. Ich begrüße Sie zu unserer Stadtrundfahrt in Hangzhou. Wir fahren zuerst zum Ling-Yin Tempel. Unterwegs möchte ich Ihnen etwas über Hangzhou erzählen.

Hangzhou, die Hauptstadt der Provinz Zhejiang, ist durch ihre malerische (秀丽的)

5   Landschaft im In- und Ausland bekannt. Im Volksmund heißt es: „Im Himmel gibt es das Paradies und auf Erden Suzhou und Hangzhou." Marco Polo war 1295 in Hangzhou und hat behauptet, dass Hangzhou die schönste[1] Stadt der Welt sei[2]. Jährlich kommen 700 000 ausländische und 23 Mio. chinesische Touristen

10   nach Hangzhou und möchten die „Paradiesstadt" besuchen.

Der Westsee ist, wie das Brandenburger Tor für Berlin und die Frauenkirche für München[3], das Wahrzeichen (象征) der Stadt Hangzhou. Er spielt eine wichtige Rolle im Leben der Hangzhouer. Nicht nur am Wochenende gehen hier viele Menschen
15 spazieren. Nein, jeden Tag sitzen viele Leute in den Teehäusern am Ufer, trinken dort Tee und spielen Karten. Jeden Tag sitzen Menschen auf den Bänken am See und genießen die schöne Landschaft. Schauen Sie jetzt bitte nach links! Das ist der Westsee! Heute Nachmittag machen wir eine Bootsfahrt auf dem See.

20 Jetzt fahren wir erstmal aus dem Stadtzentrum heraus. Hier rechts kommen wir an Long Jing vorbei. Sie haben vielleicht vom „Long Jing Tee" (Drachenbrunnentee) gehört. Er stammt von hier. Heute Nachmittag trinken wir hier nach der Bootsfahrt diesen bekannten grünen Tee.

So, wir sind bald am Lingyin Tempel. Nach der Besichtigung des Tempels zeige ich Ih-
25 nen die Buddhas (佛) in den Felsenhöhlen (岩洞). Sie können auch auf den Berg hinter dem Tempel steigen. In zwei Stunden treffen wir uns hier am Parkplatz und fahren zusammen zum Mittagessen ins Restaurant „Louwailou".

In den Himmel möchte ich auch!

Hilfe zum Verstehen

1. schönste 最美的（形容词最高级）
2. sei 动词 sein 的第一虚拟式形式，用于间接引语。
3. das Brandenburger Tor 勃兰登堡门，是柏林的标志性建筑。
   die Frauenkirche 圣女教堂，是慕尼黑的标志性建筑。

LÜ 1 *Infos durch W-Fragen* Antworten Sie.

1) Was besichtigt die Reisegruppe zuerst?

2) Wodurch ist Hangzhou bekannt?

3) Woher kommt der Name „Paradiesstadt"?

4) Was ist das Wahrzeichen von Hangzhou?

5) Was machen die Leute am Westsee?

6) Woher stammt der Drachenbrunnentee?

7) Was kann man im Lingyin Tempel sehen?

LÜ 2 **Wie ist die Folge der Stadtrundfahrt? Nummerieren Sie.**

☐ Buddhas in den Felsenhöhlen

☐ Informationen über die Stadt

☐ Beginn der Stadtrundfahrt

☐ Bootsfahrt auf dem Westsee

☐ Begrüßung

☐ Mittagessen in „Louwailou"

☐ Besichtigung des Lingyin Tempel

☐ Teetrinken in Long Jing

LÜ 3 **Sie haben die Stadtrundfahrt in Hangzhou mitgemacht. Schreiben Sie eine E-Mail darüber an Ihren Freund / Ihre Freundin in Deutschland. (ca. 12 Sätze) Benutzen Sie die Stichwörter in LÜ 2.（用 LÜ 2 中的关键字给您的朋友写电子邮件。）**

Fügen Sie Adressen aus Ihrem <u>Adressbuch</u> ein, oder verwenden Sie <u>Spitznamen</u> (Komma-getrennt).

<u>An:</u>

<u>Betrifft:</u>

<u>Cc:</u>   <u>Bcc:</u>

| Zeichensatz ▾ | Gr??e ▾ | ☐ HTML-Code anzeigen |

☐ Signatur benutzen   `html`

Anlagen: (Kein) <u>Anhänge hinzufügen/löschen</u>

| <u>S</u>enden | Entwurf <u>si</u>chern | Rechtschreibprüfung | Abbrechen |

Grammatik

I. Präpositionen: über, durch, um, entlang, gegenüber（介词 über, durch, um, entlang 和 gegenüber）

Präp.	Bedeutung	格	Beispiele	Bemerkung
über	经过，越过，横穿，翻过，途经	A	Hier darf man nicht über die Straße gehen. Er geht über den Platz/die Brücke. Der Zug fährt über Hannover nach Hamburg. Der Junge klettert über die Mauer.	
durch	1)（表示地点）穿过，通过 2) 表示媒介、手段）经过，通过	A	Er geht durch die Straße/den Park/den Garten/den Wald/die Tür. Der Zug fährt durch einen Tunnel. Ich habe sie durch einen Freund kennen gelernt. Durch Schaden wird man klug.	
um	1)（表示地点）围绕，环绕 2)（表示时间）a. 在……钟点 b. 大约，在……前后	A	Wir sitzen um den Tisch. Der Student läuft um den Sportplatz. Das Auto biegt um die Ecke. Die Erde dreht sich um die Sonne. Der Deutschunterricht beginnt um 8 Uhr. Um Weihnachten (herum) kommt er nach Deutschland. Die Prüfung findet um den 10. Juli statt.	
ent-lang	沿着，顺着	D A	Entlang der Straße stehen viele Bäume. An der Straße entlang sind viele Autos geparkt. Sie geht den Fluss entlang.	entlang 可后置。前置时，大多用第三格，后置时，大多用第四格。
ge-gen-über	1)（表示地点）在……对面，面对 2)（表示对象）对……	D	Er wohnt ihr gegenüber. Mir gegenüber sitzt Klaus. Das Rathaus steht gegenüber der Kirche/der Kirche gegenüber. Dir gegenüber ist er groß. Ihm gegenüber ist sie immer nett.	gegenüber 如果与名词连用，可后置也可前置。如果与代词连用，则该介词只能后置。

II. Wiederholung der Modalverben: „dürfen", „können", „müssen", „sollen", „wollen", „müssen", „mögen", „möchte" (情态动词 dürfen, können, müssen, sollen, wollen, mögen, möchte)

Pers.-pron. \ MV	dürfen	können	müssen	sollen	wollen	mögen	möchte
ich	darf	kann	muss	soll	will	mag	möchte
du	darfst	kannst	musst	sollst	willst	magst	möchtest
er/sie/es	darf	kann	muss	soll	will	mag	möchte
wir	dürfen	können	müssen	sollen	wollen	mögen	möchten
ihr	dürft	könnt	müsst	sollt	wollt	mögt	möchtet
sie / Sie	dürfen	können	müssen	sollen	wollen	mögen	möchten

130 Einführung

#die	Orientierung	辨认方向	Für die Touristen ist die Orientierung in der Stadt sehr wichtig.
*die	Stadt ∺e	城市	Hangzhou ist die schönste Stadt in China.
*die	Brücke -n	桥	Der Bus hält an der Brücke.
*das	Rathaus ∺er	市政厅，市议会，市政府	Gegenüber dem Rathaus ist die Kirche.
*die	U-Bahn -en	地铁	Sie fährt jeden Tag mit der U-Bahn zur Arbeit.
*die	Station -en	（车）车站	Am Hauptbahnhof nehmen Sie die U3 und fahren dann 6 Stationen bis zum Rathaus.
*die	Kirche -n	教堂，教会	Die Kirche liegt hinter dem Marktplatz.
*die	Hauptpost o. Pl.	邮政总局	Die Hauptpost liegt in der Nähe des Marktplatzes.
*die	Kreuzung -en	十字路口	An der Kreuzung der Berliner Straße und der Goethe Straße liegt das große Kaufhaus.
*die	Straße -n	街道，道路	Wang Hongliang wohnt in der Kreuzberg-straße.
*der	Fluss ∺e	河流	Der Changjiang ist der längste Fluss in China.
#das	Fernmeldeamt ∺er	电信局	Neben dem Fernmeldeamt liegt die Hauptpost.

131

*die	Auskunft ⸗e		告知情况；问讯处	Bei der Auskunft kann man Informationen bekommen.
*die	Bibliothek -en		图书馆	Ich arbeite gern in der Bibliothek.
*der	Passant -o.Pl.		行人	Der erste Passant kann Frau Wang nicht helfen.
*	fremd	Adj.	陌生的	Tut mir Leid, ich bin auch fremd hier.
#die	Verzeihung o.Pl.		抱歉，对不起	Verzeihung, wie komme ich zur Stadtbibliothek?
*der	Staat -en		国家	Wie viele Staaten gibt es in der Welt?
*	weit	Adj.	远的	Wie weit ist es denn?
*	kompliziert	Adj.	复杂的	Das ist aber kompliziert, wie kann ich es Ihnen beschreiben?
*	erklären (+D)+A		解释，说明	Der Lehrer kann die deutsche Grammatik gut erklären.
*die	Linie -n		线路	Bitte, mit welcher Linie fährt man zum Westsee?
*die	Richtung -en		方向	Sie müssen zuerst die S6 in Richtung Hauptbahnhof nehmen.
*	ein/steigen		上（车、船等）	Bitte, alle einsteigen! Der Zug fährt in drei Minuten ab.
*	um/steigen		（火）车（小）站换车	Dort steigen Sie in die U2 um und fahren bis zum Karlsplatz.
*der	Bahnhof ⸗e		火车站	Entschuldigung! Wie kommt man zum Bahnhof?
*der	Meter -		米，公尺	Gehen Sie bitte von hier aus 100 Meter, dann sehen Sie schon die Hauptpost.
*	geradeaus	Adv.	一直，径直	Gehen Sie bitte geradeaus etwa 100 Meter weiter, dann nach links.
*	danach	Adv.	之后	Wir lesen zuerst gemeinsam den Text, danach machen wir eine Pause.
*die	Haltestelle -n		（公共汽车、电车）停靠站	Auf der linken Seite sehen Sie eine Post. Die Haltestelle ist gleich vor der Post.

*	ab/biegen		拐弯	Dort an der Kreuzung biegen Sie links in die Goethestraße ab.
*	entlang +A/+D	Präp.	沿着……，顺着……	Gehen Sie die Straße entlang, an der zweiten Kreuzung dann nach rechts.
*	über +A	Präp.	横穿，途经	Wir gehen zuerst geradeaus, dann über eine Brücke, hinter der Brücke ist der Supermarkt.
*	durch +A	Präp.	通过，穿过	Er fährt durch die Yanan Straße bis zum Wulinmen Platz.
*das	Tor -e		大门	Wo treffen wir uns? – Vor dem großen Tor der Universität.
*	vorbei	Adv.	经过	Fahren Sie zuerst durch das Stadttor, dann über eine Brücke, danach an einer Schule vorbei.
*	schließlich	Adv.	最后，终于	Auf der linken Seite sehen Sie schließlich eine Post.
#	sowieso	Adv.	反正	Ich gehe sowieso in die Richtung.
*	begleiten +A		伴随，陪同	Ich kann Sie ein Stück begleiten.
*	sich beeilen		赶快	Oh, es ist schon fünf vor sechs. Ich muss mich beeilen.
*die	Ampel -n		交通信号灯	Die Ampel ist rot, man soll nicht über die Straße gehen.
*die	S-Bahn -en		（大城市内和通往郊区的）高速铁路	In fast allen deutschen Großstädten gibt es S-Bahnen.
*die	U-Bahn -en		地铁	Er fährt jeden Tag mit der U-Bahn zur Arbeit.

 Übungen

*der	Westen o. Pl.	西方	Im Westen der Stadt gibt es viele Hochhäuser.
*der	Osten o. Pl.	东方，东部，东面	Wir fahren in Richtung Osten.
*der	Führerschein -e	驾驶执照	Erst mit einem Führerschein kann man Auto fahren.
*	parken	汽车停放，停靠	Ich parke mein Auto vor einem Restaurant.

Hörverstehen

*	bemerken +A		看到，察觉	Erst an der Kasse im Supermarkt habe ich bemerkt, dass ich unterwegs mein Geld verloren habe.

 Leseverstehen

133

*die	Reiseleiterin -nen		女导游	Von Beruf ist sie Reiseleiterin.
*die	Rundfahrt -en		（乘车）周游，环行	Am Wochenende haben wir eine Rundfahrt durch die Stadt gemacht und viele Sehenswürdigkeiten besichtigt.
*	erzählen (D)+A		叙述，讲述	Die Mutter erzählt dem Sohn eine Geschichte.
*der	Tempel -		庙宇	Der Tempel auf dem Berg ist über 150 Jahre alt.
*die	Hauptstadt ¨e		首都，首府	Die Hauptstadt von Deutschland ist Berlin.
*die	Provinz -en		省	Hangzhou ist die Hauptstadt der Provinz Zhejiang.
*die	Landschaft -en		风光，风景	Die Landschaft um den See ist wunderschön.
*	bekannt	Adj.	著名的	Die Stadt ist durch ihre malerische Landschaft im In- und Ausland bekannt.
*das	Paradies -e		天堂	Man nennt die Stadt Hangzhou „das Paradies auf Erden".
*	jährlich	Adj.	每年的	Jährlich kommen Tausende von ausländischen Gästen nach Hangzhou.
*der	Tourist -en		旅游者	Viele chinesische und ausländische Touristen möchten die schöne Stadt besuchen.
*der	See -n		湖	Der Westsee ist das Wahrzeichen der Stadt Hangzhou.
*die	Rolle -n		角色	Welche Rolle spielen Sie?
*das	Ufer -		岸	Jeden Tag sitzen viele Leute in den Teehäusern am Ufer des Westsees und trinken dort den Longjing-Tee.
*die	Bank ¨e		长凳	Jeden Tag sitzen Menschen auf den Bänken am Westsee.
*das	Dorf ¨er		村庄	In der Umgebung gibt es viele schöne kleine Dörfer.
*	steigen		登上，攀登	Sie können auf den Berg steigen und den alten Tempel besichtigen.

Glossar (总词汇表)

*	ab/biegen		拐弯	E10	T
*der	Abend -e		傍晚，晚上；晚会	E1	Int.
*	aber	*Adv./Konj.*	但是，可是	E3	T
*	ab/fahren (fährt ab)		开出	E3	Int.
#	abgemacht	*Adj.*	一言为定，就这么着	E4	Int.
*	ab/holen		接，迎接，提取	E4	LV
#	ab/horchen +A		对……听诊	E9	T
*	ab/lehnen+A		拒绝	E4	Int.
*die	Abschlussarbeit -en		毕业论文	E8	T
*	absolvieren+A		完成，结束；毕业	E8	T
*die	Abteilung -en		部门，系	E8	T
	acht	*Num.*	八	E3	T
*die	Adresse -n		地址	E8	LV
*	aktiv	*Adj.*	积极的，主动的	E3	T
der	Alexanderplatz		亚历山大广场	E8	Ü
*der	Alkohol -e *mst* o. Pl.		酒精，酒；含酒精的饮料	E4	T
*	alle	*Pron.*	所有的（人）	E7	T
*	alleinstehend	*Adj.*	单身的，独身的	E4	LV
*	alles	*Pron.*	所有，全部	E2	Ü
*die	Allgemeinmedizin o. Pl.		普通医学，综合医学	E9	Einf.
	als	*Konj.*	作为……	E4	LV
*	alt	*Adj.*	老的，旧的	E3	HV
*die	Ampel -n		交通信号灯	E10	T
*	an	*Präp.*	在……时候，在/到……旁	E3	Einf.
*	ander	*Pron.*	其他的（人或物）；别的，另外的，其他的	E7	Ü
*	ander -e	*Pron.*	其他的	E4	T
*	an/fangen (fängt an)		开始	E4	Ü
*die	Angst		害怕，恐惧，忧虑	E5	Ü
*	an/kommen		到达，抵达	E4	Ü
*	an/nehmen (nimmt an)		接受，接收；假设	E4	Int.
*	an/rufen		打电话	E4	Ü
*	an/sehen (sieht an) sich D etw A		仔细看，观看	E9	T
*	antworten (+ D)/+auf+A		回答，答复，回信	E2	T
*die	Anzeige -n		告示，广告	E6	T

*	an/ziehen(sich)		给……穿衣，穿	E9	T
*der	Apfel ⸚		苹果	E1	T4
*die	Apotheke -n		药房，药店	E9	T
*der	Appetit o. Pl.		食欲，胃口	E5	T
*die	Arbeit-en		论文，著作	E6	T
*	arbeiten		工作，学习，劳动，	E2	Einf.
*	arbeitslos	*Adj.*	失业的	E4	LV
*der	Arm-e		臂	E9	Ü
*der	Arzt ⸚e		医生	E5	Ü
*die	Atmosphäre o. Pl.		气氛，环境；大气（层）	E5	T
*	auch	*Adv.*	也	E1	T3
*	auf	*Präp.*	到……上面；以……方式	E2	T
*	auf/machen+A		翻开，打开	E4	Ü
*	auf/nehmen+A (nimmt auf)		拍摄；接受；接纳	E8	HV
*	auf/stehen		起床；起立，站起来	E3	Einf.
*das	Auge -n		眼睛	E1	T3
*	aus		从……出来	E1	T2
*	aus/atmen		呼气	E9	T
*die	Ausbildung-en		训练、培训，教育	E4	LV
*der	Ausflug ⸚e		郊游、短途旅行	E8	T
*die	Auskunft ⸚e		告知情况；问讯处	E10	T
*das	Ausland o.Pl.		外国	E3	LV
*der	Ausländer -		外国人（die Ausländerin -nen 女外国人）	E3	LV
*	aus/packen +A		打开（包装），取出	E7	LV
*	aus/ruhen sich (A)		（劳动后）休息	E9	T
*	aus/sehen (sieht aus)		看上去，显得	E4	T
*	außerdem	*Adv.*	除此之外，此外	E4	T
*	aus/ziehen + A / sich		脱衣，搬出	E6	T
*das	Auto -s		小汽车	E3	Ü

B

*das	Bad ⸚er		浴室	E6	Einf.
*	baden		洗澡，游泳	E8	T
*der	Bahnhof ⸚e		火车站	E10	T
*	bald	*Adv.*	即将，不久	E4	T
#der	Balkon -e/s		阳台	E6	Einf.
*die	Bank ⸚e		长凳	E10	LV
*der	Bauch ⸚e		腹部，肚子	E9	Einf.

*	Bayern		（德国）巴伐利亚州	E5	LV
*	beantworten +A		回答，答复	E9	LV
*	beeilen sich		赶快	E10	T
*	beginnen		开始	E3	T
*	begleiten +A		伴随，陪同	E10	T
*	begrüßen +A		欢迎，向……问候	E1	Int.
*die	Begrüßung -en		问候，欢迎	E7	LV
*	bei + D	*Präp.*	在……时候，在……情况下，在……附近，在……那里	E3	T
*	beide	*Pron.*	两个；两人	E4	T
*das	Bein -e		腿	E9	Einf.
*	bekannt	*Adj.*	熟悉的，有名的	E5	LV
*	bekommen		收到，得到	E8	HV
*	beliebt	*Adj.*	受欢迎的	E5	LV
*	bemerken +A		看到，察觉	E10	HV
*das	Benzin -e		汽油	E8	LV
*der	Bericht -e		报道，报告	E8	T
*	berichten +A		报告，告知	E8	T
	Berlin		柏林（德国首都）	E1	T4
*der	Beruf -e		职业	E4	Ü
*das	Berufsleben o. Pl.		职业生活	E8	T
*	berühmt		著名的，有名望的	E5	LV
#die	Beschwerde -n		疾苦，病痛；投诉	E9	T
*	besichtigen +A		观赏，观看	E6	T
*	besonders	*Adv.*	特别，极其，非常	E5	T
*	besser	*Adv./Adj.*	较好的，更好的	E9	T
*die	Besserung o. Pl.		好转，改变，变好	E7	Int.
*	bestellen +A		点菜；订购	E4	T
*	bestimmt	*Adj./Adv.*	确定的，肯定的；确定地，一定	E4	T
*	besuchen +A		访问；探望；上学；参观	E3	Einf.
*	betrachten +A		仔细观看，打量	E6	T
*das	Bett -en		床	E3	Einf.
*	bezahlen +A		支付，付出	E5	Ü
*die	Bibliothek -en		图书馆	E10	T
*das	Bier -e		啤酒	E5	Einf.
*das	Bild -er		图画，图片	E4	LV
*	billig	*Adj.*	便宜的，廉价的	E7	T
*	bis	*Präp.*	直至	E1	T4
*	bitte	*Adv.*	请	E2	Einf.
*	blass	*Adj.*	苍白的，无血色的	E9	T
*	blau	*Adj.*	蓝色的	E7	T
*	bleiben		逗留，待在，停留	E8	Ü
*	bloß	*Adj./Adv.Part.*	仅，只；赤裸的（加强命令句或问句语气）千万，究竟，到底	E7	T

*die	Blume -n		花，花朵	E5	Ü
*das	Boot -e		小船，小艇	E1	T2
*	brauchen		需要	E6	T
*	Bratkartoffeln		油煎土豆	E5	T
*der	Brief -e		信，书信，信札，函件	E2	LV
*das	Brot -e		面包	E5	Einf.
*das	Brötchen -		小面包	E5	Einf.
*die	Brücke -n		桥	E10	Einf.
*der	Bruder ̈		兄弟，哥哥，弟弟	E4	Einf.
*das	Buch ̈er		书	E1	T3
*	buchstabieren +A		拼出字母	E2	T
*der	Bummel -		闲逛	E8	Ü
*der	Bus -se		公共汽车（公交车）	E6	HV

C

*die	Cafeteria -s [kafetə'ri:a]		自助餐馆（或自助咖啡馆）	E5	LV
*der	Campingplatz ̈e		宿营地	E8	LV
*der	Cappuccino -(s) [kapu'tʃi:no]		卡布其诺咖啡	E5	HV
der	Cent		欧分	E5	Ü
der	Champagner -		香槟酒	E1	T4
#	chatten ['tʃætən]		聊天	E2	LV
*die	Chemie o. Pl.		化学	E2	T
*(das)	China		中国	E1	T2
*das	Chinesisch		中文	E2	LV
*das	Cola -s		可乐	E5	Einf.
*der	Computer -		电脑	E6	T
*	cool	Adj.	酷的	E8	HV
*die	Couch -es/en		长沙发椅，睡椅	E7	Ü
der	Cyberdoktor -en [saibə...]		虚拟（网上）医生	E9	LV

D

*	da	Adv.	那儿，这儿	E6	Int.
*	damals	Adv.	那时侯，当时	E9	T
*	Dame,-n		女士	E7	Einf.
*	danach	Adv.	之后	E10	T
*	danken +D		感谢	E5	T

*	das	Pron.	这	E1	T4
*	dass	Konj.	叙述从句的引导词	E9	T
*	dauern		持续，延续	E8	T
*	dazu	Adv.	另外，外加		
*	dein	Poss./Pron.	你的	E3	T
*	denn	Part.	究竟	E1	T4
*das	Deutsch		德语	E2	T
*(das)	Deutschland		德国	E1	T2
*der	Dialog -e		对话	E2	Ü
*der	Dienstag -e		星期二	E3	HV
*	dir		你（第三格）	E1	T4
	doch	Adv.	对否定之事表示肯定	E4	T
*der	Doktor -en		大夫，博士	E6	Int.
*der	Donnerstag -e		星期四	E3	T
*das	Dorf ⸚er		村庄	E10	LV
*	dort	Adv.	那儿	E4	Ü
*	dran	Adv.	轮到，挨到	E9	T
*der	Drehstuhl ⸚e		转椅	E6	T
*	drei	Num.	三	E2	T
#	dringend	Adj.	迫切的	E6	T
*	du	Pron.	你	E2	T
*	durch +A	Präp.	通过，穿过	E10	T
*die	Dusche -n		淋浴；沐浴笼头；沐浴室	E6	LV

E

*	eben	Adv.	正好，刚好，	E6	Ü
*die	Ecke -n		角落，隅	E6	T
*das	Ei -er		蛋，卵	E5	Einf.
*	eigentlich	Part.	究竟	E3	T
*	einmal	Adv.	一次，某时	E4	HV
*	ein paar	Pron.	几个，若干	E9	T
*	ein/atmen		吸气	E9	T
*	einfach	Adv.&Adj.;	干脆、简直、根本；简单	E5	T
*das	Einfamilienhaus ⸚er		一户住宅	E6	Einf.
#	ein/halten (hält ein) +A		遵守	E6	T
*	ein/kaufen +A		购物；买进	E4	T
*	ein/laden (lädt ein) +A		邀请	E4	T
*die	Einladung-en		邀请	E4	Int.
*	ein/steigen		上（车、船等）	E10	T

*	eins	Num.	一	E2	T
*das	Eis	O.Pl.	冰淇淋	E1	T3
*die	Elektrotechnik o.Pl.		电子学	E2	T
*	Eltern Pl.		父母亲，双亲	E4	Einf.
*	empfehlen (+D) +A(empfiehlt)		推荐	E5	HV
*	endlich	Adv.	终于，总算	E3	Ü
(das)	England		英国	E2	T
*das	Englisch		英文	E2	LV
*das	Enkelkind -er		（外）孙子／女	E4	Einf.
*	entlang +A/+D	Präp.	沿着……顺着	E10	T
*	entschuldigen +A/sich		原谅，向……道歉	E2	T
*die	Entschuldigung -en		原谅	E2	T
*	er	Pron.	他	E2	T
*der	Erfolg -e		成功，成就	E7	Int.
*	erkälten sich		感冒	E9	T
*die	Erkältung -en		感冒，着凉	E9	T
*	erklären(+D)+A		解释，说明	E10	T
*	erleben +A		体验，经历	E8	T
*	erst	Adv.	刚刚，才	E3	T
*	erzählen +A/über A/von		叙述，讲述	E10	LV
*	es	Pron.	它	E1	T3
*	essen (isst)		吃	E3	Einf.
*die	Etage -n		楼层	E7	T
*	etwa	Adv.	大约，将近	E3	LV
*	etwas	Pron.	某事，某物；一些事，一些东西；一点儿，一些	E4	T
*der	Euro		欧元	E5	T

F

*die	Fahne -n		旗帜	E1	T2
*die	Fachhochschule -n		应用技术大学高等专科大学	E3	LV
*	fahren (fährt)		搭，乘，坐（车）；行驶	E3	Einf.
*das	Fahrrad ⸚er		自行车	E1	T3
*der	Fahrstuhl ⸚e		电梯	E7	Ü
*die	Fahrt -en		旅行，行程，行驶	E7	Int.
*die	Familie -n		家庭，家人	E4	Einf.
*der	Familienname -n		姓	E2	T
die	Fanta		芬达（饮料）	E5	Ü
*die	Farbe -n		颜色	E7	T
*	fast	Adj.	几乎，差不多	E5	LV

*die	Faust ⸚e		拳头；浮士德	E1	T3
*die	Feier -n		庆祝活动，庆典	E4	T
	Feldberg		费尔德堡（德国地名）	E8	LV
*das	Fenster -		窗户，窗子	E6	T
*die	Ferien Pl.		（学校的）假期	E8	Einf.
#das	Fernmeldeamt ⸚er		电信局	E10	Einf.
*der	Fernseher -		电视机	E6	Ü
*	fertig	Adj.	完成了的，结束了的，	E6	Ü
*	fest	Adj.	固定的	E4	LV
*	fest/stellen +A		发觉，察觉，发现	E8	T
*das	Fieber -		发热，发烧	E9	T
*	finanzieren +A		支付……费用，提供资金	E8	T
*	finden +A		觉得，认为；找到，发现	E4	T
*die	Firma ...men		公司	E6	T
*der	Fisch -e		鱼	E5	Einf.
*	fit	Adj.	精力充沛的，状态良好的	E4	T
*die	Flasche -n		瓶子	E5	Ü
*das	Fleisch o.Pl.		肉	E5	Einf.
*	fliegen		飞，飞翔	E9	T
#der	Flur -e		走廊，过道	E6	Einf.
*der	Fluss ⸚e		河流	E10	Einf.
*	fotografieren		拍照，摄影	E8	T
*die	Frage -n		问题，提问	E9	LV
*	fragen +A (+nach)		问，打听	E2	T
*die	Frau -en		女士	E1	T3
*das	Fräulein -		小姐	E5	HV
*	frei	Adj.	（坐位）空着；自由的，空闲的	E2	T
	Freiburg		弗莱堡（德国地名）	E8	LV
#	freilich	Adv.	当然，无疑，的确	E8	HV
*der	Freitag -e		星期五	E3	T
*	freitags	Adv.	每星期五	E4	LV
*die	Freizeit -en		空闲时间，业余时间	E8	Einf.
*	fremd	Adj.	陌生的	E10	T
*die	Freude -n		愉快，欢乐，高兴	E7	LV
*der	Freund -e		朋友（die Freundin -nen）	E2	LV
*	freuen sich		感到高兴	E9	T
*	frisch	Adj.	新鲜的	E5	LV
*	früh	Adj./Adv.	早的；早上	E3	T
*das	Frühstück -e		早餐，早饭，早点	E5	LV
*	frühstücken		吃早餐	E3	Einf.
*der	Führerschein -e		驾驶执照	E10	Ü
*	fünf	Num	五	E1	T3
*	fühlen sich		感觉	E9	T

*	für +A	*Präp.*	为了，对于	E3	T
*der	Fuß ∺sse		脚，足	E1	T2
*der	Fußball ∺e		足球	E2	Ü

G

*	ganz	*Adj./Adv.*	蛮，挺，很，甚，相当；完好的，完整的	E4	T
*	gar	*Adv.*	一点也，根本，完全；甚	E9	T
*der	Garten ∺e		园子，花园	E8	T
*das	Gas -e		煤气，气体	E1	T2
#der	Gastgeber -		主人（die Gastgeberin -nen）	E7	LV
*	geben (gibt) +A		给予	E3	T
*der	Geburtstag -e		生日	E4	T
*das	Geburtstagskind -er		寿星	E4	T
die	Gedächtniskirche		纪念大教堂	E8	Ü
*	gefallen +D (gefällt)		使……喜欢	E5	T
*	gegen +A	*Präp.*	防，治，反对，违反	E9	T
*	gegenüber +D/A	*Präp.*	在……对面，面对	E6	T
*	gehen		步行，走，前往	E3	Einf.
*	gehören+D		属于	E5	Ü
*das	Geld -er		钱，钞票	E1	T3
*die	Geldtasche -n		钱包/袋	E6	Ü
*die	Gelegenheit -en		机会	E8	T
die	Gemeinschaftspraxis -xen		联合诊所	E9	Einf.
*	genau	*Adv.*	对的，是的；精确的	E4	T
#die	Generation -en		世代，代	E4	Einf.
#	genießen		享受	E8	LV
*	gerade	*Adv.*	恰好，刚好	E2	LV
*	geradeaus	*Adv.*	一直，径直	E10	T
*das	Gerät -e		器具，运动器械	E7	Einf.
*das	Gericht -e		（烧好的）菜，一道菜	E5	LV
*	gern	*Adv.*	乐意，喜欢	E2	LV
*das	Geschenk -e		礼物	E7	T
*die	Geschirrspülmaschine -n		洗碗机	E6	LV
*	Geschwister Pl.		兄弟姐妹	E4	Einf.
*das	Gespräch -e		谈话，交谈，会话	E4	T
*	gesund	*Adj.*	健康地	E4	T
*die	Gesundheit o.Pl.		健康	E9	Einf.
*das	Getränk -e		饮料	E5	Ü
*	getrennt	*Adj.*	分开的	E5	T

*	gleich	Adj./Adv.	马上；相同，一样的，相等于	E4	T
*	gleichfalls	Adv.	同样地（应答祝贺语）	E5	T
*der	Glückwunsch ⸚e		庆贺，祝贺	E7	T
der	Glühwein		（烫热的）甜葡萄酒	E8	Ü
*das	Grad -/-e		度，度数，角度；程度	E9	T
*	gratulieren +D (+zu)		祝贺，庆贺	E7	Int.
(das)	Griechenland		希腊	E1	T4
	griechisch	Adj.	希腊的	E5	LV
*die	Grippe o. Pl.		流行性感冒	E9	T
*	groß	Adj.	大的，高的	E2	Ü
*	Großeltern Pl.		祖父母	E4	Einf.
*	grundsätzlich	Adj.	原则性的，基本的，一般的	E7	LV
*die	Grunschule -n		小学	E4	LV
*	grüßen +A		问候，打招呼	E7	T
#	gucken		瞧，张望	E6	T
*	gut	Adj.	好的	E1	T2

H

*	haben (hat)		有，得到	E3	T
*das	Haar-e		头发	E9	Einf.
*das	Hähnchen -		童子鸡，小鸡	E5	Ü
*	halb	Adj.	一半（的）	E3	T
*	hallo	Int.	喂，你好	E1	T4
*der	Hals, ⸚e		脖子；咽喉	E9	T
*	halten (hält)		养着，饲养；拿着，握着；认为	E6	T
*die	Haltestelle -n		（公共汽车、电车）停靠站	E10	T
*die	Hand ⸚e		手	E1	T3
*das	Haudy -s		手机，移动电话	E4	Ü
*	hängen+A/D		挂着，悬着，吊着	E6	T
*das	Hauptgericht -e		正菜	E5	Ü
*die	Hauptpost o.Pl.		邮政总局	E10	Einf.
*die	Hauptstadt ⸚e		首都，首府	E10	LV
*das	Haus ⸚er		屋子，房子	E1	T3
*die	Hausaufgabe -n		家庭作业	E3	T
*der	Haushalt -e		家政，家务	E7	Einf.
*das	Haustier -e		宠物	E6	T
	Heidelberg		海德堡	E8	LV
*	heißen +N/Adj./+A		名叫	E1	T2
*die	Heizung -en		暖器（设备）	E6	HV

*	helfen +D (hilft)		帮助	E5	Ü
*	hell	*Adj.*	明亮的	E6	T
*das	Hemd -en		（男式）衬衫	E6	Ü
*der	Herr -en		先生	E1	T3
*	herrlich	*Adj.*	美妙的，精彩的	E8	T
*	heute	*Adv.*	今天，当今	E3	T
*	hier	*Adv.*	这里	E2	Einf.
*der	Himmel o.Pl		天空	E5	Ü
*	hin/gehen		去（某处或某人处）	E6	T
*	hinein/schauen		向里看，向里瞧	E5	T
*	hinter +D/A	*Präp.*	在 / 到……后面	E6	T
*das	Hobby -s		业余爱好	E2	LV
*	hoch	*Adj.*	高的	E6	T
*die	Hochschule -n		高等学校，大学	E3	LV
*die	Hochzeit -en		婚礼	E7	Int.
*	holen (D)+A		叫，取	E5	Ü
*der	Honig -e		蜂蜜	E5	LV
*	hören		听，听到	E2	T
*das	Huhn ⸚er		鸡	E1	T2
*der	Hund -e		狗	E4	HV
*der	Hunger o.Pl.		饿，饥饿	E5	T
*der	Husten (-)		咳嗽	E9	T
*	hundert	*Num*	百	E3	Ü

*	ich	*Pron.*	我	E1	T2
*die	Idee -n		主意，想法，点子	E4	T
*	Ihnen		您（第三格）	E1	T3
*	ihr	*Pron.*	你们	E2	Einf.
*	Ihr	*Pron.*	您的；您们的	E2	T
*	ihr	*Pron.*	她的，他们的	E2	Ü
*	immer	*Adv.*	始终，经常，总是	E3	T
*	in	*Präp.*	在……里面，到……里面；在……时候	E2	Einf.
*die	Informatik o. Pl.		计算机科学与技术	E2	T
*der	Informatiker -		信息学研究者，计算机科学研究者	E6	T
*der	Ingenieur -e		工程师（die Ingenieurin -nen）	E4	T
*die	Insel -n		岛，岛屿	E8	T
*	insgesamt	*Adv.*	总共，合计	E3	LV

*	interessant	*Adj.*	有趣的，令人感兴趣的	E3	Ü
*	international	*Adj.*	国际的	E5	LV
*der	Internetanschluss ⸚e		网络接口	E6	T
*(das)	Italien		意大利（国名）	E2	LV
*	italienisch	*Adj.*	意大利的	E5	LV

J

*die	Jacke -n		夹克衫，上衣，外套	E1	T3
*das	Jahr -e		年，（年）岁	E3	HV
*	jährlich	*Adj.*	每年的	E10	LV
*(das)	Japan		日本	E2	T
*	jetzt	*Adv.*	现在，目前	E2	T
*	jobben		（做临时性）工作，打工	E8	T
*die	Jugend o. Pl.		青年，青年时代	E8	HV
*die	Jugendherberge -n.		青年旅店，客栈	E8	LV
*das	Jugendzentrum ...ren		青年活动中心	E8	HV

K

*der	Kaffee o. Pl.		咖啡	E1	T2
*	kalt	*Adj.*	冷的	E5	Ü
*die	Kamera -s		摄影机，照相机	E5	Ü
*die	Kanne -n		壶	E1	T2
*die	Kantine -n		公共/职工食堂	E5	LV
*	kaputt	*Adj.*	坏的，破碎的	E7	Ü
*die	Kartoffel -n		土豆，马铃薯	E5	Einf.
*der	Käse -		奶酪	E5	Einf.
die	Käsespätzle Pl.		奶酪面疙瘩	E5	LV
*die	Kasse -n		付款处	E6	T
*die	Katze -n		猫	E1	T3
*	kaufen+A		购买	E5	Ü
	kauffrau -en		女商务人员	E1	T3
*das	Kaufhaus, ⸚er		百货商店，百货大楼	E7	Ü
*der	Kaufmann, -Kaufleute		商务职员，商人	E4	LV
*	kein(kein, keine; keine) *Pron.*		没有，无	E3	T
*der	Kellner -		（餐厅）服务员，侍应生 (die Kellnerin -nen)	E5	T

*	kennen +A		认识，了解	E3	T
*das	Kennenlernen		结识	E2	Einf.
der	Ketchup -s ['kɛtap]		番茄酱	E5	LV
*das	Kind -er		小孩	E1	T2
*das	Kino -s		电影院	E1	T2
*die	Kirche -n		教堂，教会	E10	Einf.
*	klasse	Adj.	真棒的，非常好的，	E8	Ü
*die	Kleidung o.Pl.		衣服（总称）	E6	T
*	klingeln		按铃，铃响	E4	T
*das	Klößchen		小丸子	E5	T
*	kochen		做菜饭；煮，烧，烹调	E4	T
*der	Koffer -		箱子	E6	T
*	kommen		来	E1	T2
*	kompliziert	Adj.	复杂的	E10	T
*	können (kann)		能够，会，可能	E7	T
*der	Kopf, ⸚e		头	E9	Einf.
*der	Körper -		身体	E9	Einf.
*	kosten		耗费，值	E5	HV
*	krank	Adj.	有病的，患病的	E5	Ü
*die	Krankheit -en		疾病	E9	LV
*	krank/schreiben		开病假证明	E9	Ü
*das	Krankenhaus ⸚er		医院	E9	T
*die	Krankheit -en		病，疾病	E9	LV
der	Kreidefelsen -		白垩岩	E8	T
*die	Kreuzung -en		十字路口	E10	Einf.
*die	Küche -n		菜肴，饭菜；烹调术；厨房	E5	LV
*der	Kuchen -		糕点	E5	Ü
*der	Kühlschrank ⸚e		冰箱	E5	Ü
*	kümmern sich um +A		关心，照料	E9	T
*die	Kunst ⸚e		艺术，技巧	E3	LV

L

*die	Lage -n		位置，环境	E6	HV
*die	Landschaft -en		风光，风景	E10	LV
*die	Landschaftsaufnahme -n o. Pl.		风景摄影	E8	HV
*	langsam	Adj.	慢的	E2	Einf.
*der	Laptop -s		手提电脑	E6	T
*der	Lärm o. Pl.		嘈杂声，噪音	E6	Ü

*	laufen (läuft)		跑，跑步		E3	T
*	laut	*Adj.*	大声的		E2	T
*das	Leben		生活，生命		E3	Einf.
der	Lebkuchen -		胡椒蜂蜜饼（茴香饼）		E8	Ü
*	lecker	*Adj.*	好吃的，美味的，可口的		E5	T
*	legen		平放，摆；躺，卧		E6	T
*der	Lehrer -		教师（die Lehrerin -nen 女教师）		E1	T4
*	leider	*Adv.*	可惜，遗憾		E2	T
*	Leid/tun		抱歉，遗憾，可惜		E4	Int.
*	leise	*Adj.*	轻声的		E2	T
*	lernen +A/von		学习，学		E2	T
*	lesen (liest)		阅读，读，朗读		E2	T
*der	Leser -		读者		E9	LV
*	letzt-	*Adj.*	最后的，最近的		E9	T
*die	Leute Pl.		人们		E6	Ü
*das	Licht, -er		光，电灯		E1	T3
	lieb	*Adj.*	（令人）亲切的，亲爱的，友善的		E4	T
*	lieben +A		爱		E9	Ü
*	lieber	*Komp./Adv.*	宁可，宁愿，更喜欢		E4	Ü
*das	Lied -er		歌曲		E4	HV
*	liegen (lag)		平放，横放；躺着，位于		E6	Ü
*die	Linie -n		线路		E10	T
*	links	*Adv.*	左边，左面		E6	HV
*das	Lokal-e		啤酒馆		E8	Einf.
*	los	*Adj/Adv.*	发生，开始		E9	T
*die	Luft ⸚e		风；空气		E9	LV
*die	Lust		兴趣，乐趣，兴致		E4	Int.

M

*	machen +A		做，制作，干，从事；总计		E5	T
*das	Mädchen -		少女，姑娘		E7	T
*der	Magen, ⸚		胃，胃部		E9	Einf.
*die	Mail -s		电子邮件		E3	Ü
*	mailen		发电子邮件		E8	Ü
*der	Mais -e		玉米		E1	T3
*	mal	*Part.Adv.Konj.*	（表示请求语气）啊，吧；一次（曾经或以后）；乘	E3	T
*das	Mal -e		次		E5	T
*	man	*Pron.*	人们		E2	T
*das	Management o. Pl.		管理，经营		E8	T

*	manchmal	Adv.	有时	E4	T
*der	Mann ⸚er		男人	E1	T2
#die	Mappe -n		书包，纸夹	E1	T2
*der	Markt ⸚e		市场，集市	E8	Ü
*die	Marmelade -n		果酱	E5	LV
die	Maultasche -n		汤饺	E5	LV
*die	Maus ⸚e		老鼠；鼠标	E1	T3
*das	Medikament -e		药，药物	E9	T
*das	Meer -e		海，大海，公海	E8	Einf.
*	mein		我的	E1	T2
*	meinen +A		认为，觉得，指	E4	T
*die	Meinung -en		看法，意见，观点	E9	T
*	meistens	Adv.	通常，一般，大多数情况下	E3	T
*die	Mensa ...sen		学生食堂	E2	T
*der	Meter -		米，公尺	E10	T
*	mieten		租用，租借，租贷	E6	T
*die	Miete -n		租金	E6	T
*die	Milch o. Pl.		奶，牛奶	E5	Einf.
*die	Million -en		百万	E3	LV
*	mit+D	Präp.	乘坐，借助，用	E6	LV
*	mit/kommen		一起来，一同去	E4	Ü
*	mit/machen		一起干，参与做	E4	Ü
*die	Mitfahrgelegenheit -en		搭车机会	E8	LV
*das	Mitglied -er		成员	E4	Einf.
*der	Mittag -e		中午	E3	Einf.
*der	Mittwoch -e		星期三	E3	HV
*das	Möbel -		家具	E6	HV
*	modern	Adj.	时髦的，现代的	E6	T
*	möglich	Adj.	可能的	E6	Int.
*der	Moment -e		片刻，瞬息	E4	T
*der	Monat -e		月，月份	E6	T
*der	Montag -e		星期一	E3	Ü
*	morgen	Adv.	明天	E1	T4
*der	Morgen -		早晨	E1	T3
*	morgens	Adv.	（在）早上，（在）清晨，（在）上午	E9	Ü
*	müde	Adj.	困倦的，疲倦的，疲劳的	E9	Ü
	München		慕尼黑（德国地名）	E2	LV
*der	Mund ⸚er		口，嘴	E1	T2
*die	Musik		音乐	E2	HV
das	Müsli o. Pl.		混合麦片（内加水果丁、核桃仁、葡萄干等）	E5	LV
*die	Mutter ⸚		母亲，妈妈	E4	Einf.
*die	Mütze -n		（无帽檐的）帽子，便帽	E7	T

N

*	nach +D	*Präp.*	(目标)向……，到……去(时间)在……之后	E3	Einf.
*der	Nachbar -n; -n		邻居 (die Nachbarin -nen)	E6	T
#die	Nachhilfestunde -n		补习课	E8	HV
*der	Nachmittag -e		下午	E3	Einf.
*	nach/sehen (sieht nach)		查看，查阅	E7	T
*	nächst	*Adj./Adv.*	紧接着的，下一次的(指顺序)	E5	T
*die	Nacht ⸚e		夜里	E1	Int.
*der	Nachtisch o. Pl.		饭后甜点	E5	T
*der	Nachttisch -e		床头柜	E6	T
*die	Nähe -n o. Pl.		附近	E8	T
*der	Name -n		名字	E1	T2
*	nämlich	*Adv.*	因为，即	E5	T
*die	Nase -n		鼻子	E1	T2
*	neben+D/A	*Präp.*	在……旁边；到……上方	E6	T
#	nebenan	*Adv.*	隔壁	E6	HV
der	Neckar		内卡河	E8	LV
*	nehmen (nimmt)		接受，选购，乘，坐，拿，服药	E6	T
*	nein	*Adv.*	不，不是	E2	T
	nett	*Adj.*	友好的，和蔼的	E4	T
*	neun		九	E1	T3
*	nicht	*Adv.*	不，没有	E3	T
*	nichts	*Pron.*	一点也没有，什么也没有	E4	T
*	nie	*Adv.*	从未，永不	E3	T
*	niedrig	*Adj.*	低的，矮的，	E8	HV
*	noch	*Adv.*	还，此外还	E2	T
*der	Norden o. Pl.		北方	E5	LV
*	normal	*Adj.*	正常的，平常的	E4	LV
*	nötig	*Adv.*	必要的	E6	T
*die	Nudel -n		面条，面食	E5	Einf.
*	nun	*Adv.*	现在	E6	T
*	nur	*Adv.*	只，仅	E3	T
*	nützlich	*Adj*	有用的	E8	T

O

*	ob	*Konj.*	间接疑问从句的引导词	E9	T
*der	Oberkörper -		上身	E9	T
*das	Obst o. Pl.		水果	E1	T2

*	oder	Konj.	或者，还是（两者选一）	E2	Ü
*der	Ofen ⸚		炉子	E1	T2
*	öffnen + A		打开	E2	T
*	oft	Adv.	经常	E3	Ü
*	ofter	Adv.	经常，常常	E4	T
*	öfter	Adv.	有时，常常	E5	T
*das	Ohr -en		耳朵	E9	Einf.
*die	Oma -s		祖母，奶奶，外婆	E4	Einf.
*der	Onkel -		叔叔，舅舅	E4	Einf.
*der	Opa -s		祖父，爷爷，外公	E4	Einf.
*die	Orange -n [o'raŋʒə]		橙子	E5	Int.
*die	Ordnung -en		规则，秩序	E6	T
#die	Orientierung		定向，取向	E10	Einf.
*der	Osten o.PL.		东方；车部；车面	E10	Ü
*(das)	Österreich		奥地利（国家）	E4	T

P

*das	Paradies - e		天堂	E10	LV
*der	Park -s		公园	E6	HV
*	parken		汽车停放，停靠	E6	Int.
*der	Parkplatz ⸚e		停车场	E6	T
*die	Party -s/Parties		聚会活动	E3	T
*der	Pass ⸚e		护照	E1	T2
*der	Passant -en		行人	E10	T
*die	Pause -n		休息，停顿	E3	T
*	phantastisch	Adj.	梦幻般的	E8	T
*die	Physik		物理（学）	E1	T4
die	Pizza -s		比萨饼	E5	LV
*	planen +A		计划，安排	E4	T
*der	Platz ⸚e		坐位，地方，场所	E2	T
*	plötzlich		突然	E9	Ü
(das)	Polen		波兰（国名）	E2	LV
*die	Polizei o.Pl		警察局；警方人员	E4	Ü
	Pommes Frites Pl.		油炸土豆条	E5	T
#das	Praktikum Praktika		经验实习，实习课程	E8	T
*	praktisch	Adj.	实际的，实用的	E6	HV
*der	Preis -e		价格，价钱，奖励	E8	HV
*	prima	Adj.	太好了	E4	Int.
*	probieren +A		尝味，尝试；试穿	E5	T
*das	Problem -e		问题，困难	E6	T
*das	Programmieren o. Pl.		编程序	E8	T

*der	Prospekt -e		广告，说明书	E8	T
*	prost	*Int.*	干杯	E5	T
*die	Provinz -en		省	E10	LV
*die	Prüfung -en		考试，检验	E3	T
*der	Pudding -e/s		布丁 (甜点心)	E5	Ü
*der	Pullover -		套头毛衣，套衫	E7	Ü
*	putzen +A		擦，刷	E9	T

Q

*die	Qualität -en	质量	E8	T
*die	Quelle -n	泉，源泉；出处	E1	T4

R

*das	Rathaus ⸚er		市政厅，市议会，市政府	E10	Einf.
*	rauchen		抽烟，吸烟	E4	T
*die	Rechnung -en		账单	E6	Ü
*(das)	Recht (-e) (Recht haben)		说得对，做得对	E9	T
*	recht	*Adv.*	相当，等于	E5	LV
*	rechts	*Adv.*	右边，右面	E6	HV
*das	Regal -e		架子，书架	E6	T
*	regional	*Adj.*	地方性的，区域性的	E5	LV
*das	Reihenhaus ⸚er		连排房屋	E6	Einf.
*der	Reis o. Pl.		米饭，大米	E5	T
*die	Reise -n		旅行	E6	Int.
*die	Reiseleiter -		导游 (die Reiseleiterin, -nen 女导游)	E10	LV
*	reisen		旅行	E7	LV
#	renoviert	*Adj.*	修缮过的，装修过的	E6	T
*das	Restaurant -s [restɔ'raŋ]		餐厅，餐馆	E5	T
*	richtig		正确的，对的	E4	T
*die	Richtung -en		方向	E10	T
#	riechen		闻、嗅	E9	Einf.
*das	Rindersteak -s [...steːk]		牛排	E5	T
*die	Rolle - n		角色	E10	LV
#die	Rollenverteilung -en		角色分配	E4	LV
*die	Rostbratwurst ⸚e		烤香肠	E5	LV
*	rot	*Adj.*	红色	E7	T

*der	Rücken -		背	E9	LV
	Rügen		吕根岛（波罗地海中一岛屿）	E8	T
*	ruhig	*Adv./Adj.*	尽管，只管，放心地；安静的，清净的	E5	T
#die	Rundfahrt -en		（乘车）周游，环行	E10	LV

S

*die	Sache -n		物品，东西，事情	E6	T
*der	Saft ⸚e		汁，果汁，菜汁	E5	T
*	sagen +A		说	E1	T4
der	Salat -(e)		生菜；色拉	E5	T
*der	Samstag -e		星期六，周六	E4	T
*der	Satz ⸚e		句，句子	E2	Int.
*die	S-Bahn		（大城市内和通往郊区的）高速铁路	E10	T
*der	Schatz ⸚e		宝贝，亲爱的	E4	T
*	schenken (+D) +A		赠送	E7	T
*	schlafen (schläft)		睡觉	E3	T
die	Schlaflosigkeit o. Pl.		失眠症	E9	LV
*das	Schlafzimmer -		卧室，寝室	E6	Einf.
*	schließen		合，关，闭，锁	DE2	T
*	schließlich	*Adv.*	最后，终于	E10	T
*	schlimm	*Adj.*	严重的，糟糕的，很坏的	E9	Ü
*der	Schlüssel -		钥匙	E5	Ü
*	schmecken +D		有滋味，味道好	E5	T
*der	Schmerz -en		疼痛，痛苦	E9	Einf.
*	schnell	*Adj.*	快	E2	Einf.
der	Schnellimbiss -e		小吃店	E5	LV
*das	Schnitzel -		肉排，煎猪排	E5	T
*der	Schnupfen -		伤风，感冒；流鼻涕	E9	T
*	schon	*Adv.*	就，已经	E3	T
*	schön	*Adj./*	行，好的，		
		Adv.	美丽的，美好的	E2	T
*der	Schrank ⸚e		柜，橱	E6	T
#	schrecklich	*Adv.*	很，相当；可怕的	E9	T
*	schreiben +A		写，写作，写信	E2	T
*der	Schuh -e		鞋子	E6	Ü
*die	schreibware -n		文具	E7	Einf.
*der	Schüler -		中小学生	E1	T3
*	schwach	*Adj.*	弱，虚弱	E6	Int.
*	schwarz	*Adj.*	黑色的	E7	T

der	Schwarzwald		黑森林（德国地名）	E8	LV
*der	Schweinebraten -		煎猪肉	E5	T
*die	Schweiz		瑞士（地名）	E6	Ü
*die	Schwester -n		姐妹，姐姐，妹妹	E4	Einf.
*die	Schwiegertochter ⸚		儿媳，媳妇	E4	Einf.
*	sechs	Num	六	E1	T3
*die/der	See o.Pl.		海 (die Ostsee 波罗地海)	E8	T
*	sehen(sieh) +A		看，看见	E3	Ü
*	sehr	Adv.	很，非常	E3	T
*	sein (ist)		是	E1	T2
*	seit	Präp.	自……以来	E6	T
*die	Seite -n		页，边	E2	T
*der	Sekretär -e		秘书（die Sekretärin -nen）	E4	T
*	selber	Pron.	自己	E9	Ü
*	selbstverständlich	Adj.	不言而语的，当然的	E8	T
*der	September -		九月	E7	T
*	selten	Adv.	稀少的，罕见的，不常有的	E4	T
*	sicher	Adv./Adj.	有把握的，肯定的	E9	T
*	Sie		您，您们	E1	T2
*	sie	Pron.	她	E1	T4
*	sitzen		坐，坐着	E6	Ü
die	Snackbar -s		快餐店	E5	LV
*	so	Adv.	这样，如此	E3	T
*	sofort	Adv.	马上，立即	E5	Ü
*	sogar	Adv.	甚至	E4	T
*der	Sohn ⸚e		儿子	E4	Einf.
*die	Sonne -n		太阳	E1	T2
*	sonst	Adv.	另外，此外	E5	T
*die	Sorge -n		忧虑，担心	E9	T
*die	Sorte -n		种类，品种	E5	LV
#	sowieso	Adv.	反正	E10	T
*	spanisch	Adj.	西班牙的	E5	LV
*	spät	Adj.	迟，晚	E3	T
*	später	Adv.	以后，后来	E5	T
*der	Spaziergang o. Pl.		散步	E7	Ü
*die	Speisekarte -n		菜单	E5	T
*die	Spezialität -en		特色菜，特产	E5	LV
*der	Spiegel -		镜子	E5	Ü
*	spielen +A		玩，比赛	E2	Ü
*der	Sport o. Pl.		体育运动	E3	Einf.
die	Sportbekleidung		运动服装	E7	Einf.

*die	Sprache -n		语言	E8	HV
*	sprechen (spricht)		说话，谈话	E2	Einf.
*die	Sprechstundenhilfe -n		门诊医生女助理员	E9	T
*das	Sprechzimmer -		门诊室，会客室，接待室	E9	T
*	springen (a, u)		跳，跳跃	E8	Einf.
*die	Sprite [sprait]		雪碧（饮料）	E5	Ü
*der	Staat -en		国家	E10	T
*die	Stadt -e		城市	E10	Einf.
*die	Station -en		（公共汽车和电车）车站，	E6	HV
#die	Steckdose -n		插座	E6	T
*	stecken +A/D		插入，插着	E6	T
#der	Stecker -		插头	E6	T
*	stehen (+D)		站立，竖直，竖放着；适合于	E6	T
*	steigen		登上，攀登	E10	LV
*die	Stelle -n		职位，岗位	E4	LV
*	stellen +A		竖放，直立	E6	T
*der	Stern -e		星；明星	E5	Ü
*	stimmen		对，正确，相符	E9	T
*der	Stock, die Stockwerke		楼层	E7	Einf.
#der	Strand -e		沙滩，海滩	E8	Einf.
*die	Straße -n		街道，道路	E10	Einf.
*	streiten sich		争吵，争执	E9	T
*	streng	*Adj.*	严厉的，严格的	E8	LV
*der	Student -en		大学生（die Studentin -nen）	E2	Ü
*das	Studentenwohnheim -e		学生宿舍	E2	T
*	studieren +A		（在大学）学习，研究	E2	T
*der	Stuhl -e		椅子	E1	T4
*die	Stunde -n		小时；课时	E3	Ü
*die	Suche -n		寻找	E6	T
*	suchen		寻找	E2	LV
*der	Süden o. Pl.		南部，南方，南面	E6	T
	Südfrankreich		法国南部	E8	LV
*	super	*Adv.*	非常，特别地；最，极	E8	T
*die	Suppe -n		汤	E5	T
*	surfen		冲浪运动；网络漫游	E6	Ü
*	süß	*Adj.*	甜的，甜美，可爱	E4	T
#die	Szene -n		情景，场面	E6	T

T

#die	Tablette -n		药片	E5	Ü
*der	Tag -e		白天	E1	T2
*	täglich	*Adv.*	每天的	E3	T
*die	Tante -n		姑妈，姨妈	E4	Einf.
*die	Tasse -n		(有柄的) 瓷杯子	E5	Ü
*	tatsächlich	*Adv.*	真的，确实的	E8	T
*	tauschen +A/sich		交换	E8	LV
*	tausend	*Num*	千	E3	Ü
*das	Taxi -s		出租车	E1	T2
*der	Tee o. Pl.		茶，茶叶	E5	Ü
*das	Telefon -e		固定电话	E4	T
*die	Telefonnummer -n		电话号码	E3	Ü
#der	Tempel -		庙宇	E10	LV
*der	Termin -e		(约定的) 日期，约会	E6	Ü
*	teuer	*Adj.*	贵的，昂贵的	E5	LV
*der	Text -e		课文，文章，文本	E2	T
*das	Theater -		剧院	E7	LV
*	tief	*Adj.*	深的，低的	E9	T
*das	Tier -e		动物	E4	HV
*	tippen		打字	E6	Ü
*der	Tisch -e		桌子	E1	T4
*die	Tochter ¨		女儿	E4	Einf.
*die	Toilette -n		厕所	E7	Einf.
*	toll	*Adj.*	真棒，真行	E4	Ü
*das	Tor -e		大门	E10	T
*die	Torte -n		圆形蛋糕	E4	T
*der	Toufu o. Pl.		豆腐	E3	Ü
*der	Tourist - en		旅游者	E10	LV
*	tragen (trägt) +A		穿，戴	E7	T
*	treffen (trifft) sich		遇见	E9	T
*	treiben +A		从事，进行	E3	Einf.
*	trinken +A		喝，饮	E3	Einf.
*	tschüs		再见	E1	T4
*	tun (tut) +A		做，干	E9	LV
*	türkisch	*Adj.*	土耳其的	E4	LV
*	typisch	*Adj.*	典型的	E7	LV

U

*die	U-Bahn -en		地铁	E10	Einf.
*	über +A	*Präp.*	横穿，途经；关于，有关，在 / 到……之上	E6	T
#die	Übergabe -n		递交，交出	E7	LV
*	übersetzen +A		翻译，笔译	E8	T
*	übrigens	*Adv.*	此外，再说，顺带说	E2	T
*die	Übung -en		练习	E2	T
*das	Ufer -		岸	E10	LV
*die	Uhr -en		钟点；表，钟	E3	T
*	um	*Präp.*	在……点钟	E3	T
*	um/steigen		换车	E10	T
*	um/ziehen		搬家	E6	T
*der	Umzug ⸚e		搬家	E6	T
*	unbedingt	*Adv.*	无条件的，一定地	E8	T
*	und		和，与	E1	T2
*die	Universität -en		综合性大学	E2	LV
*	unter +Präp D/A		在 / 到……下面 / 方	E6	T
*	unterhalten sich +über A		聊天	E9	T
*der	Unterricht o. Pl.		课	E1	T4
*	unterschiedlich	*Adj.*	有区别的，不同	E5	LV
*	untersuchen +A		调查	E9	T
*	unterwegs	*Adv.*	路上	E7	HV
*der	Urlaub -e		假期，度假，（公务）休假	E4	LV

V

*die	Vase -n		花瓶	E1	T2
*der	Vater ⸚e		父亲，爸爸	E4	Einf.
*die	Verabredung -en		约定，商定，约会	E4	Int.
	verabschieden +A (sich)		告别，告辞	E1	Int.
*	verbringen (verbracht h.) +A		度过（时间 / 假期）	E8	T
*	verdienen +A		挣得，赚得	E8	T
*	veressen (vergisst)		忘掉，忘记	E5	Int.
*das	Vergnügen -		愉快，高兴；娱乐，消遣	E7	Int.
*	verheiratet	*Adj.*	已结婚的，已婚的	E4	T
#die	Vermieter -		出租者（Vermieterin -nen 女出租者）	E6	T
*	verschieden	*Adj.*	不一样的，另一种的，不同的	E5	LV
*	verschreiben		开（药）	E9	T
*die	Versichertenkarte -n		（医疗）保险卡	E9	T

*		verstehen +A		理解，懂得	E3	T
*der	Verwandte -n		亲戚（die Verwandte，-n）	E4	T
#die	Verzeihung o.Pl		抱歉，对不起	E10	T
*		viel	Adv./Pron./Num.	许多，大量	E3	T
#		vielfältig	Adj.	多样的	E5	LV
*		vielleicht	Adv.	也许	E9	T
*das	Viertel		四分之一，一刻钟	E3	T
*		von +D	Präp.	（时间）从……起；（所属关系）的	E3	T
*		vor +D/A	Präp.	在……前面	E3	T
#		voraus	Adv.	事先，预先	E9	LV
*		vorbei	Adv.	经过	E10	T
*		vorbei/kommen		来一下，从……旁边过	E9	T
*		vor/haben +A		打算，意图，计划	E4	T
*die	Vorlesung -en		（大）课，讲座	E3	Einf.
*der	Vormittag -e		上午	E3	Einf.
*der	Vorname -n		名	E2	T
*		vorne	Adv.	前面	E6	HV
*der	Vorschlag ⸚e		建议，提议	E4	Int.
*		vor/schalgen (schlägt vor)		建议，提议	E4	T
*die	Vorspeise -n		头盘；餐前小吃	E4	T
*		vor/stellen +D +A		介绍	E6	T

W

*die	Waage -n		天秤	E1	T2
*		während	Konj. +G	然而；在……期间，在……时候	E5	LV
*die	Wand ⸚e		墙壁，墙面，	E6	T
*		wandern (s.)		漫游	E8	LV
*		wann	Adv.	何时	E3	T
*		warm		温暖的，热的	E6	T
*		warten		等，等待	E6	Ü
*das	Wartezimmer -		候诊室；候车厅，等候室	E9	T
*		warum	Adv.	为什么	E3	Ü
*		was	Pron.	什么	E1	T4
*		waschen(sich)(wäscht sich) +A		给……洗脸，洗澡，洗	E9	T
*das	Wasser o.Pl.		水	E1	T3
*der	Wecker -		闹钟	E6	T
*		weg	Adv.	不在，离开	E6	T
*		weh/tun (tut weh)		疼痛，痛苦	E9	T

*das	Weihnachten -		圣诞节	E7	Ü
*der	Wein -e		葡萄酒	E5	Ü
*	weiß	Adj.	白的，白色的	E5	LV
*	weit	Adj.	远	E10	T
*	welcher	Pron.	（疑问代词）哪个；哪些	E7	T
*die	Welle -n		波浪，浪头	E8	T
*die	Welt -en		世界，世间	E2	LV
die	Weltmeisterschaft -en		世界杯	E8	Ü
*	wer	Pron.	谁	E1	T4
*der	Westen o.Pl.		西方，西部，西面	E10	Ü
*	wichtig	Adj.	重要的	E8	T
*	wie	Adv.	如何，怎样	E1	T3
*	wie viel/wieviel	Adv.	多少	E3	T
*das	Wiedersehen o.Pl.		再见	E1	T4
*die	Wiese -n		草地，草坪	E8	Einf.
*	wir	Pron.	我们	E2	T
*	wirklich	Adj.	真的，真实的，现实的	E4	T
*die	Wirtschaftswissenschaft -en		经济学	E2	LV
*	wissen (weiß)		知道，了解	E7	T
*	wo	Adv.	在哪里，在何处	E2	T
*das	Wochenende o.Pl.		周末	E7	Int.
*	woher	Adv.	从哪里来	E1	T4
*	wohin	Adv.	向哪里，去何处	E3	T
*	wohnen		居住	E2	T
*die	Wohngemeinschaft -en		集体住房，合住套房	E6	Einf.
*das	Wohnhaus ⸚er		住宅	E6	Einf.
*die	Wohnung -en		套房	E4	LV
*das	Wohnzimmer -		起居室，客厅	E6	Einf.
*	wollen (will)		愿意，打算，希望	E7	T
*das	Wörterbuch ⸚er		字典	E7	HV
*	wünschen +(D) +A		希望，祝愿，想要	E5	T
*die	Wurst ⸚e		香肠	E5	Einf.

Z

*	zahlen		付钱	E5	T
*die	Zahl -en		数字	E3	HV
*der	Zahn, ⸚e		牙，牙齿	E9	Einf.
*	zehn	Num	十	E1	T3
*das	Zeichnen		素描，绘图	E8	HV

*	zeigen		给……看，指向，指点	E6	T
*die	Zeit -en		时间，时刻；（时段，时代）	E3	T
*die	Zeitung -en		报纸	E1	T4
*die	Zeitschrift -en		杂志，期刊	E7	Einf.
#das	Zelt -e		帐蓬	E8	LV
*das	Zentrum ...ren		中心	E8	HV
*	ziemlich	*Adv.*	颇，比较；相当地	E6	T
*das	Zimmer -		房间	E6	Einf.
#die	Zitrone -n		柠檬	E5	HV
*	zu	*Adv.Präp.*	太，在……时候；去，往；在，位于，为了，用于；比对，以，由	E2	Einf.
*	zuerst	*Adv.*	先，首先	E2	T
*	zufrieden	*Adj.*	满意	E4	LV
*der	Zug ⸚e		火车	E3	Int.
*	zu/machen		关闭，封闭	E5	Ü
*	zusammen	*Adv.*	一起，共计	E3	T
#	zu/stimmen		同意，赞成	E9	Int.
*	zwar	*Adv.*	虽然	E6	T
*	zwei		二	E2	T
*die	Zwiebel -n		洋葱	E5	T
*	zwischen+D/A	*Präp.*	在……中间；到……中间	E6	Ü
*	zwölf	*Num.*	十二	E3	T

Unregelmäßige Verben
（不规则变化动词表）

不定式	现在时直陈式 （第三人称单数）	第二分词
✓beginnen	beginnt	begonnen
biegen	biegt	gebogen (h/s)
bieten	bietet	geboten
bleiben	bleibt	geblieben (s)
bringen	bringt	gebracht
denken	denkt	gedacht
dürfen	darf	gedurft
empfehlen	empfiehlt	empfohlen
✓essen	isst	gegessen
✓fahren	fährt	gefahren (s)
fallen	fällt	gefallen
fangen	fängt	gefangen
finden	findet	gefunden
fliegen	fliegt	geflogen (s)
geben	gibt	gegeben
gehen	geht	gegangen (s)
genießen	genießt	genossen
✓haben	hat	gehabt
halten	hält	gehalten
hängen	hängt	gehangen
✓heißen	heißt	geheißen
helfen	hilft	geholfen
✓kennen	kennt	gekannt
✓kommen	kommt	gekommen (s)
✓können	kann	gekonnt
laden	ladet / lädt	geladen
✓laufen	läuft	gelaufen (s)

Unregelmäßige Verben

不定式	现在时直陈式 （第三人称单数）	第二分词
✓ lesen	liest	gelesen
✓ liegen	liegt	gelegen
mögen	mag	gemocht
✓ müssen	muss	gemusst
✓ nehmen	nimmt	genommen
riechen	riecht	gerochen
rufen	ruft	gerufen
✓ schlafen	schläft	geschlafen
schlagen	schlägt	geschlagen
✓ schließen	schließt	geschlossen
✓ schreiben	schreibt	geschrieben
sehen	sieht	gesehen
✓ sein	ist	gewesen (s)
singen	singt	gesungen
sitzen	sitzt	gesessen
sollen	soll	gesollt
✓ sprechen	spricht	gesprochen
stehen	steht	gestanden
steigen	steigt	gestiegen (s)
streiten	streitet	gestritten
tragen	trägt	getragen
treffen	trifft	getroffen
treiben	treibt	getrieben
✓ trinken	trinkt	getrunken
tun	tut	getan
vergessen	vergisst	vergessen
waschen	wäscht	gewaschen
✓ wissen	weiß	gewusst
wollen	will	gewollt
ziehen	zieht	gezogen

德语专著

▶ 外语学习策略与方法
ISBN 978-7-5600-4490-5
定价：9.90

▶ 德语学习30周年精选
——文学卷
ISBN 978-7-5600-8799-3
定价：29.90

▼ 德语学习30周年精选
——翻译卷
ISBN 978-7-5600-8787-0
定价：29.90

▶ 德语学习30周年精选
——初学卷
ISBN 978-7-5600-8798-6
定价：29.90

◀ 德语学习30周年精选
——文化卷
ISBN 978-7-5600-8800-6
定价：29.90

大学德语推荐辅导用书

▶ 德语语音（MP3版）
ISBN 978-7-5600-1776-1
定价：15.00

▶ 即学即用德语会话词典
ISBN 978-7-5600-5964-8
定价：29.90

▶ 德语初级听力（修订版）
ISBN 978-7-5600-9034-4
定价：28.00（附MP3一张）

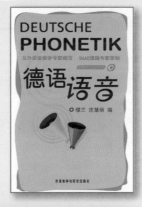

德语听力

欢迎登陆外研外语网站，了解图书信息以及最新资讯：
http://mlp.fltrp.com

您可以通过以下方式购买到外研社图书：
① 当地书店
② 外研社邮购部
电话：（010）88819925 / 28 / 29 / 30 / 31
③ 网上书店：www.fltrpstore.com
④ 当当网：www.dangdang.com
卓越网：www.joyo.com

◀ 德语中级听力
即将出版

大学德语推荐辅导用书

词典

朗氏德汉双解大词典（修订版）

ISBN 978-7-5600-8943-0

定价：118.00

- 收录66 000个词条，增加大量反映时代发展、社会变革的新词语
- 63 000个例句以及大量搭配、词组，适用于各种交际场合
- 精选30 000个复合词，培养使用者举一反三的构词能力
- 新增语言信息窗、国情信息窗，丰富使用者的交际常识和文化知识
- 最新德语正字法，醒目套色排版

大学德语
四、六级联想学习词典

ISBN 978-7-5600-7396-5

定价：42.90

杜登·牛津·外研社
德英汉·英德汉词典

ISBN 978-7-5600-4728-7

定价：79.00

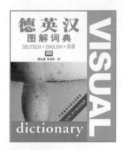

德英汉图解词典

ISBN 978-7-5600-3831-X

定价：45.00

德汉双解德语学习词典

ISBN 978-7-5600-2631-2

定价：32.90

外研社·新编德汉词典

ISBN 978-7-5600-1593-X

定价：89.00

外研社·精编德汉汉德词典

ISBN 978-7-5600-2185-9

定价：34.90

语法及词汇

标准德语语法——精解与练习

ISBN 978-7-5600-2163-8

定价：32.90

实用英语德语比较语法

ISBN 978-7-5600-5041-6

定价：22.90

德语词汇联想与速记

ISBN 978-7-5600-2500-1

定价：12.90

备战大学德语四级考试词汇篇

ISBN 978-7-5600-6665-3

定价：29.90

2011. 4. 25